🐻 4주에 활용하세요.

170쪽

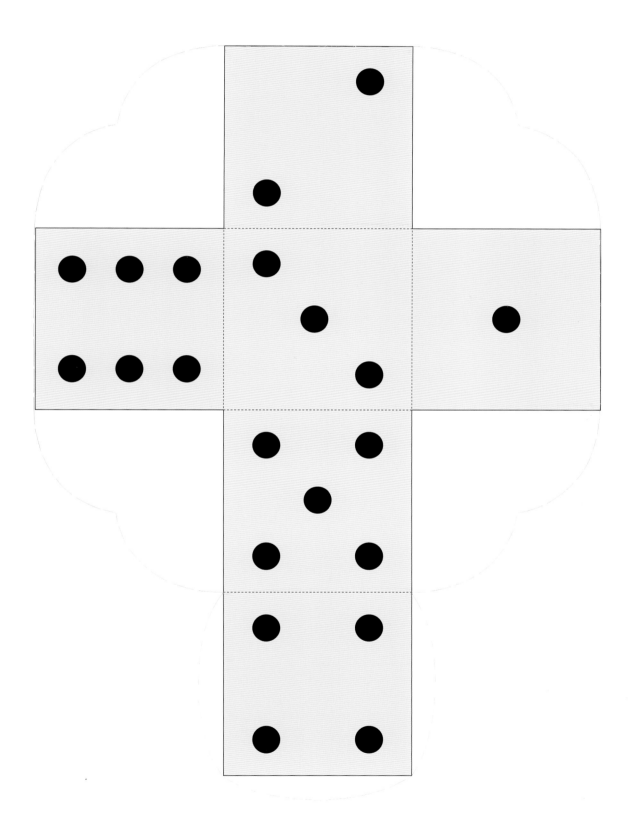

5단계 완성 스케줄표

공부한 날		주	일	학습 내용
월	일		도입	이번 주에는 무엇을 공부할까요?
			1일	둘레를 알 때 다각형 그리기
월	일		2일	직각으로 이루어진 도형의 둘레
월	일	1주	3일	도형의 넓이를 이용하여 변의 길이 구하기
월	일		4일	다각형의 넓이
월	일		5일	도형 옮겨서 넓이 구하기
			평가 / 특강	누구나 100점 맞는 테스트 / 중학 도형 맛보기
월	일		도입	이번 주에는 무엇을 공부할까요?
			1일	합동
월	일		2일	합동인 도형 만들기
월	일	2주	3일	대칭축 그리기
월	일		4일	대칭인 도형
월	일		5일	점대칭도형이 되도록 점 찍기
			평가 / 특강	누구나 100점 맞는 테스트 / 창의·융합·코딩
월	일		도입	이번 주에는 무엇을 공부할까요?
			1일	선대칭도형 그리기
월	일		2일	점대칭도형 그리기
월	일	3주	3일	합동인 도형에서 각의 크기 구하기
월	일		4일	선대칭도형의 성질
월	일		5일	점대칭도형의 성질
			평가 / 특강	누구나 100점 맞는 테스트 / 중학 도형 맛보기
월	일		도입	이번 주에는 무엇을 공부할까요?
			1일	직육면체의 겨냥도
월	일		2일	정육면체의 전개도
월	일	4주	3일	전개도를 접었을 때 만나는 점, 선분
월	일		4일	직육면체의 전개도 그리기
월	일		5일	전개도에 알맞게 그려 넣기
			평가 / 특강	누구나 100점 맞는 테스트 / 창의·융합·코딩

공부한 날을 표시하고 하루하루 학습 내용을 살펴보세요.

**Chunjae
Maketh
Chunjae**

▼

기획총괄	지유경
편집개발	정소현, 조선영, 원희정, 이정선, 최윤석, 김선주, 박선민
디자인총괄	김희정
표지디자인	윤순미, 안채리
내지디자인	박희춘, 이혜진
제작	황성진, 조규영

발행일	2020년 11월 15일 초판 2020년 11월 15일 1쇄
발행인	(주)천재교육
주소	서울시 금천구 가산로9길 54
신고번호	제2001-000018호
고객센터	1577-0902

※ 이 책은 저작권법에 보호받는 저작물이므로 무단복제, 전송은 법으로 금지되어 있습니다.

※ 정답 분실 시에는 천재교육 홈페이지에서 내려받으세요.

※ KC 마크는 이 제품이 공통안전기준에 적합하였음을 의미합니다.

※ 주의

  책 모서리에 다칠 수 있으니 주의하시기 바랍니다.

  부주의로 인한 사고의 경우 책임지지 않습니다.

  8세 미만의 어린이는 부모님의 관리가 필요합니다.

똑 똑 한

하루
도형

5단계

주별 Contents

이 책의 특징

도입

이번 주에는 무엇을 공부할까요?

▶ 이번 주에 공부할 내용을 만화로 재미있게!

이번 주에 배울 내용을 쉽고 재미있는 만화로 확인!

개념 완성

주 5일 학습

▶ 활동을 통해 도형 개념을 쉽게 이해해요!

도형 개념을 만화로 쏙쏙!

활동을 통해 도형 개념을 쉽게 이해해요.

꼭 알아야 할 유형을 매일매일 학습!

주별 평가

▶ **한 주간 배운 내용**을 확인해요.

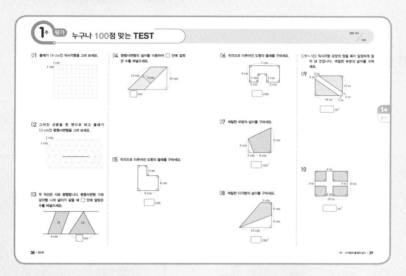

5일 동안 공부한 내용을 확인해요.

창의 · 융합 · 코딩

▶ **창의 · 융합 · 코딩** 문제로 창의력과 사고력이 길러져요!

특강 문제까지 해결하면 창의력과 사고력이 쑥쑥!

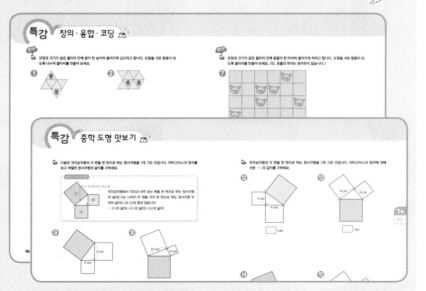

▲ **중학 도형** 문제에 도전해 봐요!

이 책에 나오는 인물

공학자 나도형

얼굴은 우락부락, 성격은 섬세함.
하지만 공학자로서의 실력은
언제나 믿음직하다.

로봇 릴리

나도형이 만든 인간형 로봇.
뭐라도 하려고 하는 의욕이 넘친다!

진식

학구파 캐릭터.
도형에 대한 호기심이 한가득하다.

하윤

뭐든지 부딪혀봐야 알지!
명랑하고 열정의 소유자이다.

다각형의 둘레와 넓이

 이번 주에는 무엇을 공부할까요? **1**

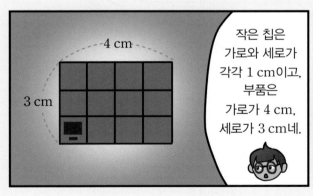

이번 주에는 무엇을 공부할까요? ②

❋ 정다각형, 사각형의 둘레

🐻 주어진 도형의 둘레를 구하세요.

1-1

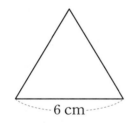

6 cm

정삼각형의 둘레: ☐ cm

1-2

3 cm

정오각형의 둘레: ☐ cm

1-3

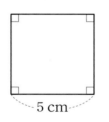

5 cm

정사각형의 둘레: ☐ cm

1-4

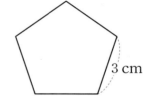

4 cm

7 cm

직사각형의 둘레: ☐ cm

1-5

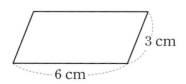

3 cm

6 cm

평행사변형의 둘레: ☐ cm

1-6

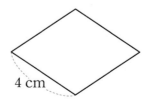

4 cm

마름모의 둘레: ☐ cm

✳ 사각형, 삼각형의 넓이

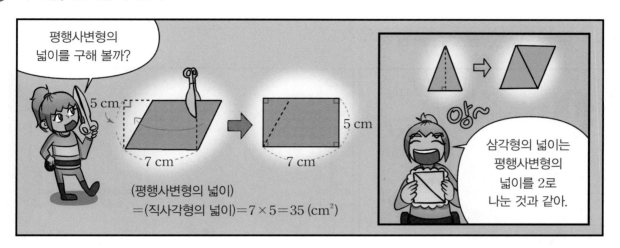

🐻 넓이가 <u>다른</u> 하나를 찾아 ◯표 하세요.

2-1

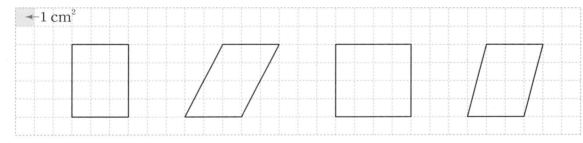

2-2 ←1 cm²

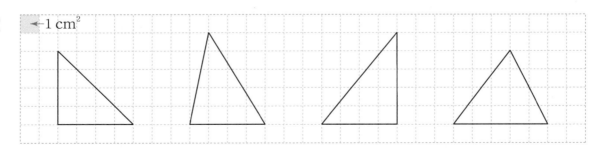

 오늘은 무엇을 공부할까요?

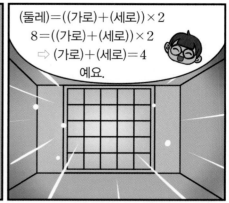

도형 기본 개념

● 정다각형의 둘레

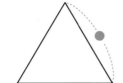

(정삼각형의 둘레) = ● × 3

(정오각형의 둘레) = ★ × $\boxed{❶}$

⇨ (정■각형의 둘레) = (한 변의 길이) × ■

● 사각형의 둘레

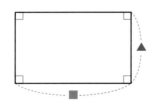

(직사각형의 둘레) = (■ + ▲) × $\boxed{❷}$

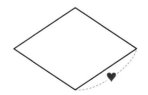

(마름모의 둘레) = ♥ × 4

정답 ❶ 5 ❷ 2

둘레를 알 때 다각형 그리기

 활동을 통하여 **개념**을 알아보아요.

○ 둘레가 8 cm인 직사각형 그리기

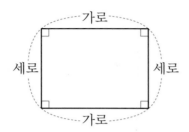

(둘레)＝((가로)＋(세로))×2
8＝((가로)＋(세로))×2
⇨ (가로)＋(세로)＝4

활동 가로를 1 cm씩 늘여가면서 (가로)＋(세로)＝4 cm인 직사각형 그리기

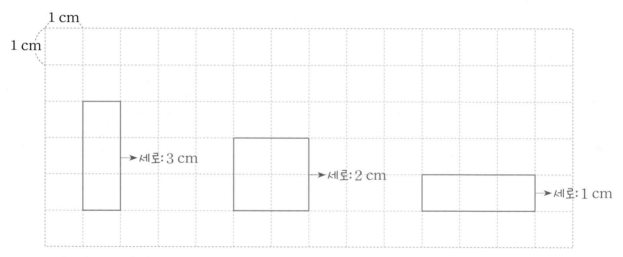

▲ 가로가 1 cm인 경우

1＋(세로)＝4이므로
(세로)＝3 cm가 되게
직사각형을 그려요.

▲ 가로가 2 cm인 경우

2＋(세로)＝4이므로
(세로)＝2 cm가 되게
직사각형을 그려요.

▲ 가로가 3 cm인 경우

3＋(세로)＝4이므로
(세로)＝1 cm가 되게
직사각형을 그려요.

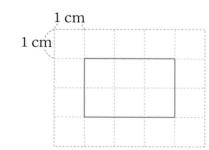 개념 짚어 보기

• **가로가 3 cm이고 둘레가 10 cm인 직사각형 그리기**

((가로)＋(세로))×2＝(둘레)이므로

(3＋(세로))×2＝10,

3＋(세로)＝5, (세로)＝2 cm

⇨ 가로가 3 cm, 세로가 2 cm인 직사각형을 그립니다.

활동 개념 확인

🐸 모눈종이에 그어진 선분을 한 변으로 하고 주어진 둘레가 되도록 직사각형을 3개 그려 보세요.

1-1 둘레: 14 cm

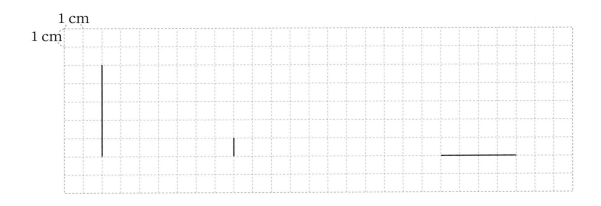

1-2 둘레: 18 cm

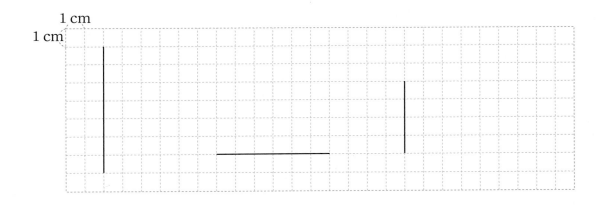

1-3 둘레: 20 cm

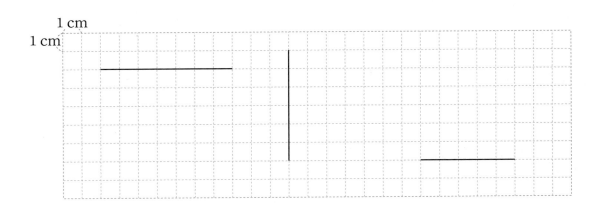

1^일 둘레를 알 때 다각형 그리기

(**도형 집중** 연습)

보기와 같이 주어진 둘레가 되도록 직사각형을 그려 보세요.

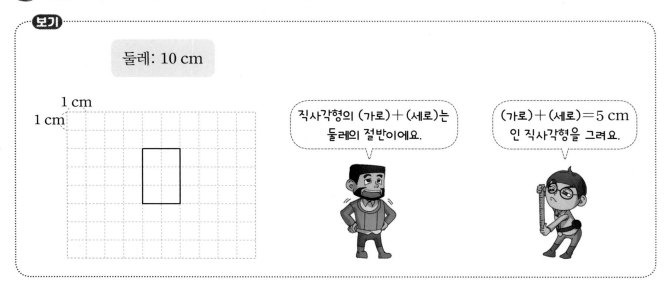

1-1 둘레: 12 cm

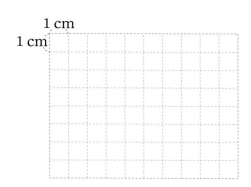

1-2 둘레: 16 cm

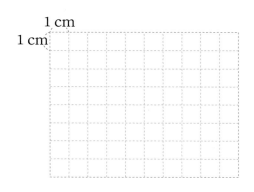

1-3 둘레: 22 cm

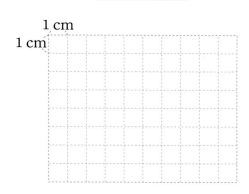

1-4 둘레: 24 cm

🐢 그림에 그어진 선분을 한 변으로 하고 주어진 둘레가 되도록 평행사변형을 그려 보세요.

2-1   둘레: 14 cm

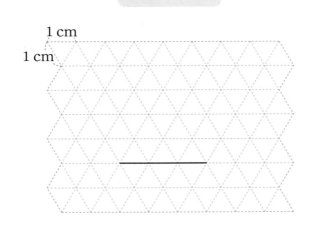

2-2   둘레: 16 cm

🐢 주어진 둘레의 도형을 그려 보세요.

3-1   마름모의 둘레: 12 cm

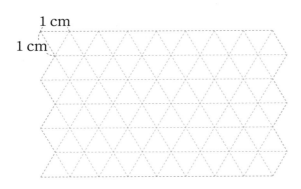

3-2   마름모의 둘레: 16 cm

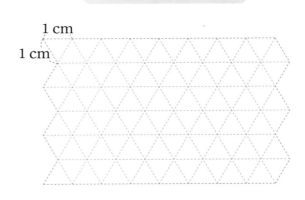

3-3   정삼각형의 둘레: 15 cm

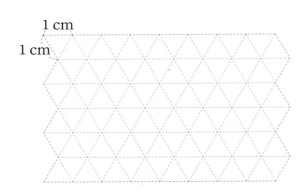

3-4   정육각형의 둘레: 12 cm

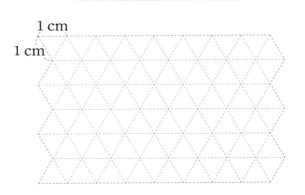

직각으로 이루어진 도형의 둘레

 오늘은 무엇을 공부할까요?

도형 기본 개념

● **직각으로 이루어진 도형의 둘레**

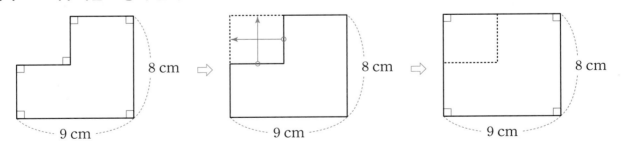

직각으로 이루어진 도형의 둘레를 구할 때에는 변의 위치를 평행하게 옮겨 봅니다.

(직각으로 이루어진 도형의 둘레)
＝(가로가 9 cm, 세로가 ❶　　 cm인 직사각형의 둘레)

정답 ❶ 8

2일 직각으로 이루어진 도형의 둘레

 활동을 통하여 **해결 방법**을 알아보아요.

● 모눈종이에 그려진 직각으로 이루어진 도형의 둘레 구하기

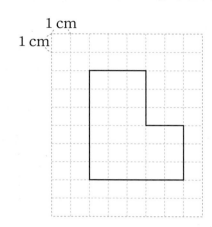

직각으로 이루어진 도형의
둘레를 쉽게 구하는
방법을 알아볼까요?

[활동 1] 빨간색 선은 오른쪽으로 2칸 이동하여 빨간색 선으로, 파란색 선은 위쪽으로 3칸 이동하여 파란색 선으로 그리기

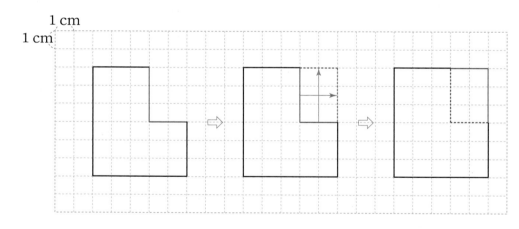

[활동 2] 직각으로 이루어진 도형의 둘레 구하기

변의 위치를 평행하게 옮겨서
직사각형으로 바꾸어 둘레를
구할 수 있어요.

(도형의 둘레)=(직사각형의 둘레)
$$=((가로)+(세로))\times 2$$
$$=(5+6)\times 2$$
$$=11\times 2=22 \ (cm)$$

해결 방법 확인

🍮 직각으로 이루어진 도형의 둘레를 구하세요.

1-1

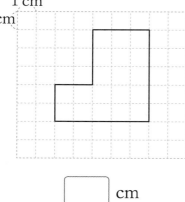

1 cm
1 cm

☐ cm

1-2

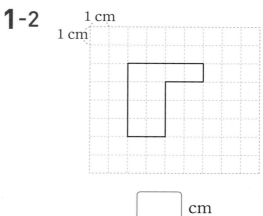

1 cm
1 cm

☐ cm

1-3

1 cm
1 cm

☐ cm

1-4

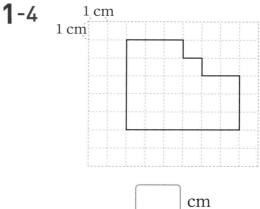

1 cm
1 cm

☐ cm

1-5

1 cm
1 cm

☐ cm

1-6

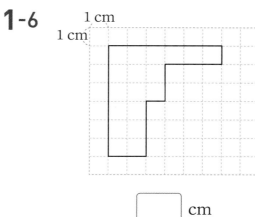

1 cm
1 cm

☐ cm

도형 집중 연습

🍮 직각으로 이루어진 도형의 둘레를 구하세요.

1-1

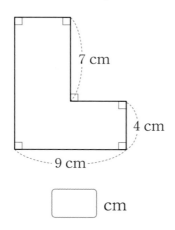

7 cm
4 cm
9 cm

[ ] cm

1-2

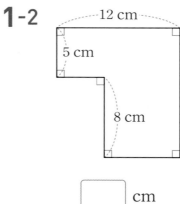

12 cm
5 cm
8 cm

[ ] cm

1-3

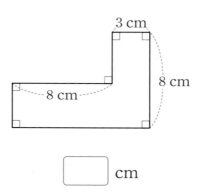

3 cm
8 cm
8 cm

[ ] cm

1-4

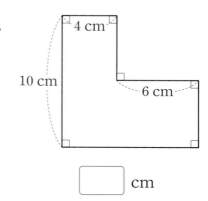

4 cm
10 cm
6 cm

[ ] cm

1-5

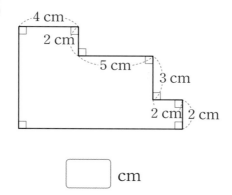

4 cm
2 cm
5 cm
3 cm
2 cm 2 cm

[ ] cm

1-6

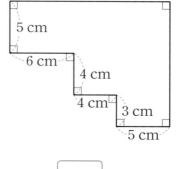

5 cm
6 cm
4 cm
4 cm
3 cm
5 cm

[ ] cm

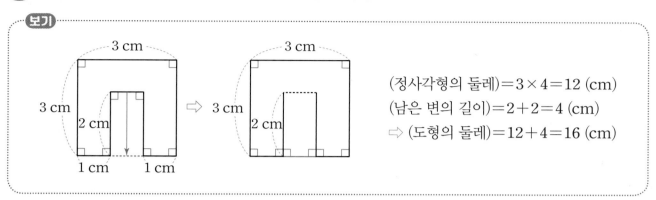

보기

(정사각형의 둘레)=3×4=12 (cm)
(남은 변의 길이)=2+2=4 (cm)
⇨ (도형의 둘레)=12+4=16 (cm)

2-1

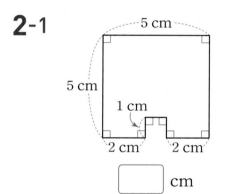

☐ cm

2-2

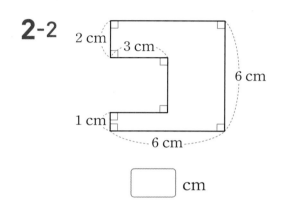

☐ cm

2-3

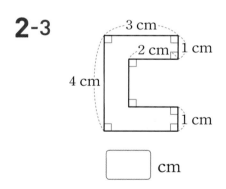

☐ cm

직사각형의 둘레에 남은
변의 길이를 더해서 구해요.

2-4

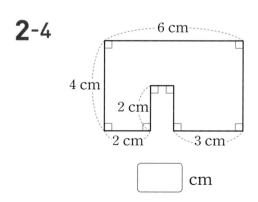

☐ cm

2-5

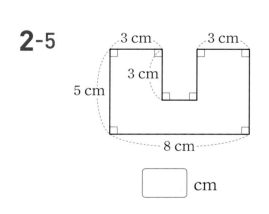

☐ cm

3일 도형의 넓이를 이용하여 변의 길이 구하기

 오늘은 무엇을 공부할까요?

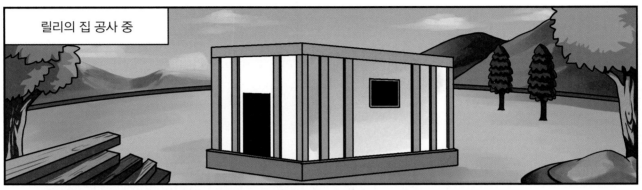

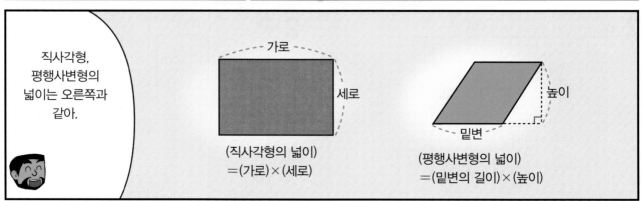

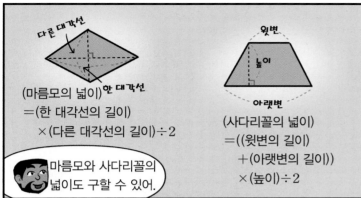

(마름모의 넓이)
=(한 대각선의 길이)
　×(다른 대각선의 길이)÷2

마름모와 사다리꼴의 넓이도 구할 수 있어.

윗변

높이

아랫변

(사다리꼴의 넓이)
=((윗변의 길이)
＋(아랫변의 길이))
×(높이)÷2

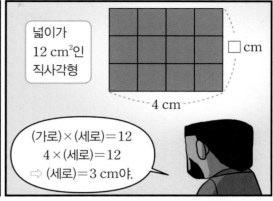

넓이가 12 cm²인 직사각형

□ cm

4 cm

(가로)×(세로)=12
4×(세로)=12
⇨ (세로)=3 cm야.

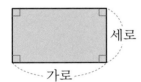

이제 창의 세로를 알았어!

아자!

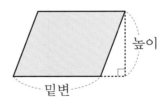

드디어 창이 완성!

짠~!

릴리 혼자 다 만든 것 같아.

도형 기본 개념

● 직사각형의 넓이

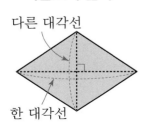

세로

가로

(직사각형의 넓이)
=(가로)×(❶　　　　)

● 평행사변형의 넓이

높이

밑변

(평행사변형의 넓이)
=(밑변의 길이)×(높이)

● 마름모의 넓이

다른 대각선

한 대각선

(마름모의 넓이)
=(한 대각선의 길이)
　×(다른 대각선의 길이)
÷❷

● 사다리꼴의 넓이

윗변

높이

아랫변

(사다리꼴의 넓이)
=((윗변의 길이)
＋(아랫변의 길이))
×(높이)÷2

정답 ❶ 세로 ❷ 2

3^일 도형의 넓이를 이용하여 변의 길이 구하기

🐻 **활동**을 통하여 **해결 방법**을 알아보아요.

◉ 넓이가 20 cm²인 직사각형의 세로 구하기

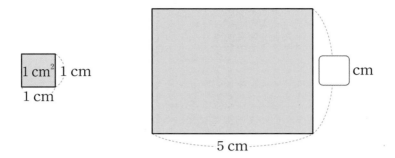

활동 **1** 직사각형의 가로의 한 줄에 1 cm² 가 몇 개 들어갈 수 있는지 선을 그어 알아보기

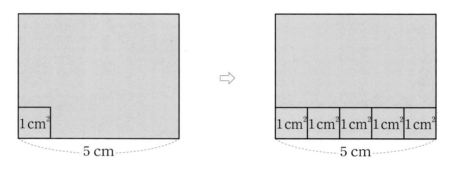

(가로)=5 cm ⇨ 가로의 한 줄에 1 cm² 가 5개 들어갑니다.

활동 **2** 1 cm² 가 가로로 한 줄에 5개씩 20개가 들어가도록 직사각형에 선을 그어 세로 구하기

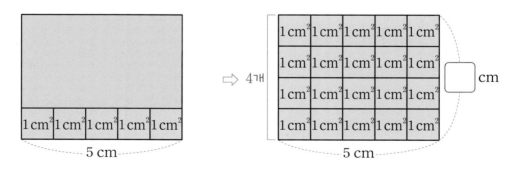

세로의 한 줄에 1 cm² 가 4개 들어가므로 ☐=4입니다. ⇨ (세로)=4 cm

(직사각형의 넓이)=(가로)×(세로), 5×☐=20, ☐=4

⇨ (세로)=(직사각형의 넓이)÷(가로)

해결 방법 확인

🐸 도형의 넓이가 다음과 같을 때 ☐ 안에 알맞은 수를 써넣으세요.

1-1 직사각형의 넓이: 42 cm²

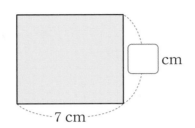

☐ cm

7 cm

1-2 평행사변형의 넓이: 32 cm²

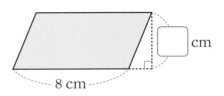

☐ cm

8 cm

1-3 정사각형의 넓이: 25 cm²

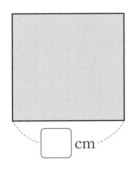

☐ cm

1-4 삼각형의 넓이: 24 cm²

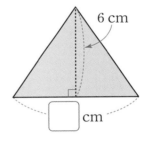

6 cm

☐ cm

1-5 마름모의 넓이: 36 cm²

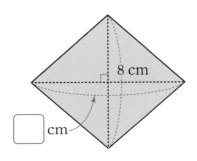

8 cm

☐ cm

1-6 사다리꼴의 넓이: 49 cm²

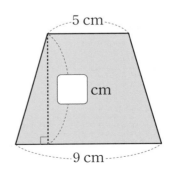

5 cm

☐ cm

9 cm

3^일 도형의 넓이를 이용하여 변의 길이 구하기

도형 집중 연습

🐢 그림에서 두 직선은 서로 평행합니다. 도형 가와 도형 나의 넓이가 같을 때, ☐ 안에 알맞은 수를 써넣으세요.

1-1
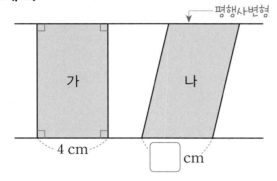

1-2
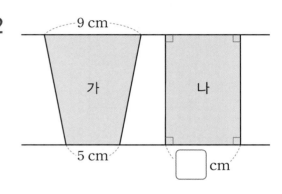

1-3
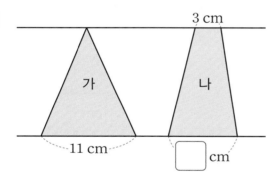

1-4
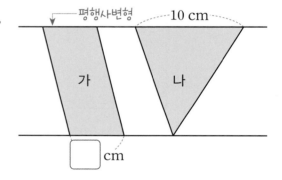

1-5
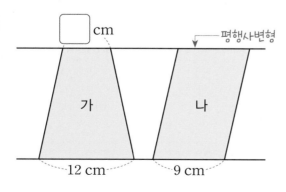

1-6
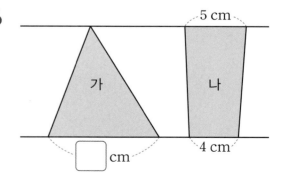

평행사변형과 삼각형입니다. 도형의 넓이를 이용하여 ☐ 안에 알맞은 수를 써넣으세요.

2-1
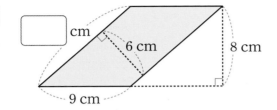

2-2
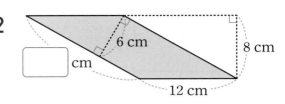

2-3
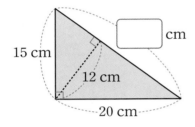

높이가 15 cm일 때와 높이가 12 cm일 때의 삼각형의 넓이는 서로 같음을 이용하여 ☐를 구해요.

2-4
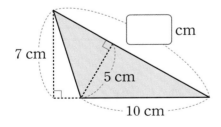

2-5
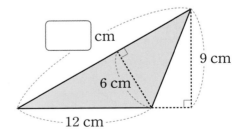

4일 다각형의 넓이

새로운 부품이 도착
했어~!

이 부품을 릴리에게 끼우면
기능이 더 좋아져!

오! 그럼 릴리
에게 끼워 보자.

부품 모양이
다각형이네.

근데 어디에
끼워야 하지?

으악! 어쩌지?
어려운데.

진정해! 부품에
대한 설명서는 없어?

앗! 설명서가
어디 있더라
…….

넓이가 같은 곳에
부품을 바꾸어 끼우면
된대~.

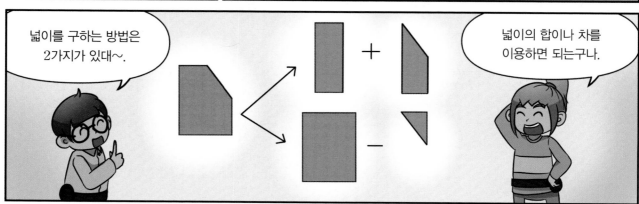

넓이를 구하는 방법은
2가지가 있대~.

넓이의 합이나 차를
이용하면 되는구나.

도형 기본 개념

- **여러 가지 방법으로 다각형의 넓이 구하기**

  방법 1 넓이의 합 이용하기

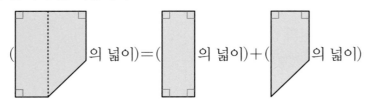

  (의 넓이)=(의 넓이)+(의 넓이)

  방법 2 넓이의 차 이용하기

  (의 넓이)=(의 넓이)−(의 넓이)

활동을 통하여 해결 방법을 알아보아요.

● 다각형의 넓이를 구하는 2가지 방법 알아보기

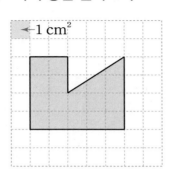

다각형의 넓이를 구하는 방법을 비교해 볼까요?

방법 1 직사각형의 넓이와 사다리꼴의 넓이를 더하여 구하기

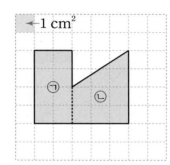

㉠: (직사각형의 넓이)$=2 \times 4 = 8$ (cm^2)

㉡: (사다리꼴의 넓이)$=(2+4) \times 3 \div 2$
$\qquad\qquad\qquad = 6 \times 3 \div 2 = 9$ (cm^2)

⇨ (다각형의 넓이)$=㉠+㉡$
$\qquad\qquad\qquad = 8+9 = 17$ (cm^2)

방법 2 다각형을 둘러싼 큰 직사각형을 그려 큰 직사각형의 넓이에서 삼각형의 넓이를 빼어 구하기

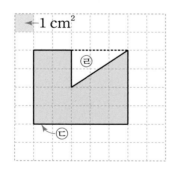

㉢: (큰 직사각형의 넓이)$=5 \times 4 = 20$ (cm^2)

㉣: (삼각형의 넓이)$=3 \times 2 \div 2 = 3$ (cm^2)

⇨ (다각형의 넓이)$=㉢-㉣$
$\qquad\qquad\qquad = 20-3 = 17$ (cm^2)

해결 방법 짚어 보기

• 다각형의 넓이는 도형의 넓이의 합, 도형의 넓이의 차, 도형을 옮겨서 넓이 구하기 등 여러 가지 방법으로 구할 수 있습니다.

해결 방법 확인

🍮 다각형의 넓이를 구하세요.

1-1

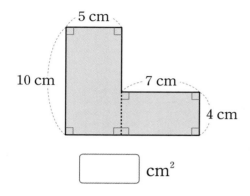

5 cm
10 cm
7 cm
4 cm

☐ cm²

1-2

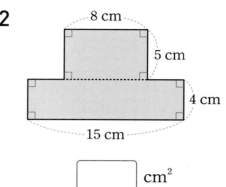

8 cm
5 cm
4 cm
15 cm

☐ cm²

1-3

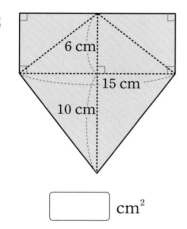

6 cm
15 cm
10 cm

☐ cm²

1-4

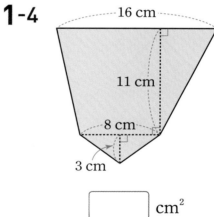

16 cm
11 cm
8 cm
3 cm

☐ cm²

1-5

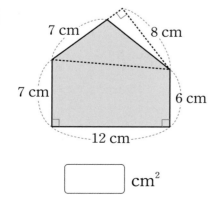

7 cm
8 cm
7 cm
6 cm
12 cm

☐ cm²

1-6

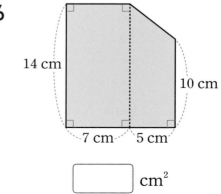

14 cm
10 cm
7 cm
5 cm

☐ cm²

4일 다각형의 넓이

도형 집중 연습

🍮 색칠한 부분의 넓이를 구하세요.

1-1

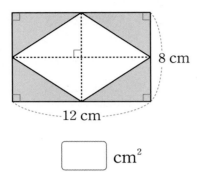

8 cm

12 cm

☐ cm²

(색칠한 부분의 넓이)
＝(가장 큰 다각형의 넓이)
　－(색칠하지 않은 부분의 넓이)

1-2

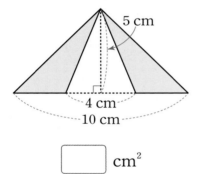

5 cm

4 cm

10 cm

☐ cm²

1-3

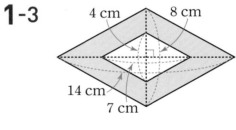

4 cm　8 cm

14 cm

7 cm

☐ cm²

1-4

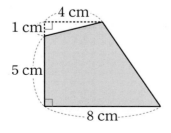

4 cm

1 cm

5 cm

8 cm

☐ cm²

1-5

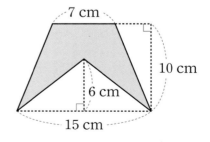

7 cm

10 cm

6 cm

15 cm

☐ cm²

보기 와 같이 색칠한 다각형의 넓이를 구하세요.

보기

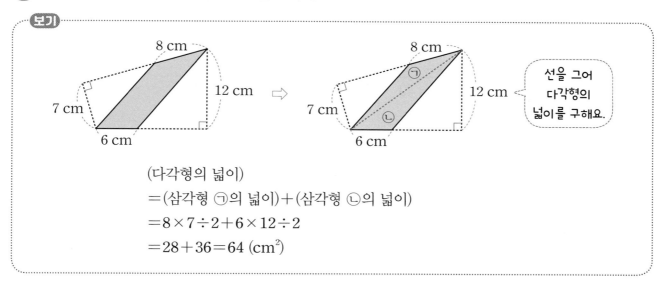

(다각형의 넓이)
=(삼각형 ㉠의 넓이)+(삼각형 ㉡의 넓이)
=$8 \times 7 \div 2 + 6 \times 12 \div 2$
=$28 + 36 = 64 \ (\text{cm}^2)$

2-1

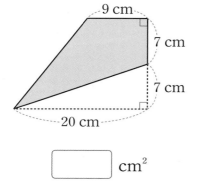

☐ cm²

2-2

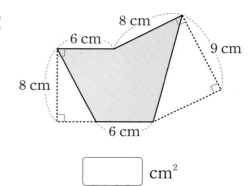

☐ cm²

2-3

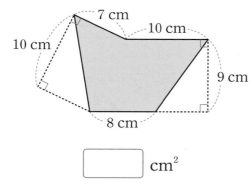

☐ cm²

2-4

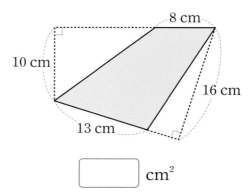

☐ cm²

5일 도형을 옮겨서 넓이 구하기

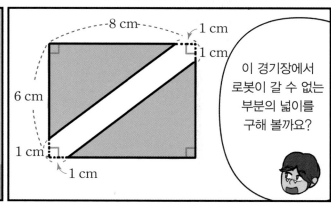

오늘은 무엇을 공부할까요?

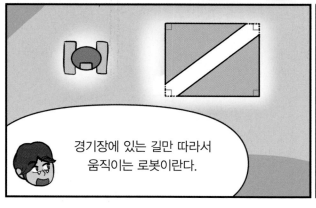

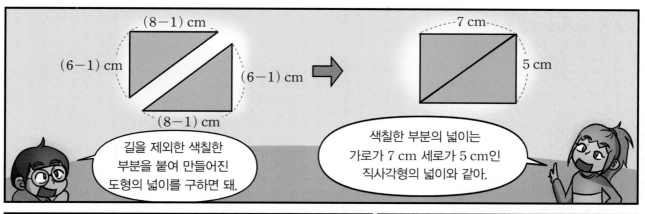

도형 기본 개념

● 도형을 옮겨서 넓이 구하기

① 색칠한 부분을 붙여 어떤 도형이 만들어지는지 알아봅니다.

② 만들어진 도형의 넓이를 구합니다.

(색칠한 부분의 넓이)=(가로가 7 cm, 세로가 $\boxed{❶}$ cm인 직사각형의 넓이)

 **도형을 옮겨서 넓이 구하기**

 활동을 통하여 **해결 방법**을 알아보아요.

● 도형을 옮겨서 색칠한 부분의 넓이 구하기

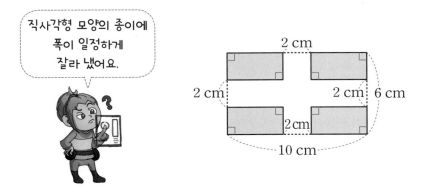

직사각형 모양의 종이에
폭이 일정하게
잘라 냈어요.

활동 1 색칠하지 않은 부분을 잘라 내고 색칠한 부분을 옮겨서 붙여 보기

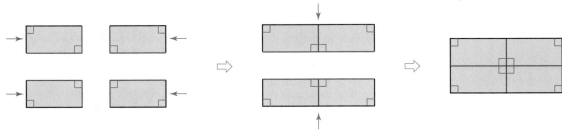

① 화살표 방향으로
옮겨서 빨간색 선
끼리 붙여 봅니다.

② 화살표 방향으로
옮겨서 파란색 선
끼리 붙여 봅니다.

③ 붙여서 만들어진
도형은 직사각형
입니다.

활동 2 색칠한 부분을 붙여서 만들어진 도형의 넓이 구하기

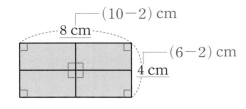

색칠한 부분을 붙이면
가로가 8 cm, 세로가 4 cm인
직사각형이 돼요.

(색칠한 부분의 넓이)
=(가로가 8 cm, 세로가 4 cm인 직사각형의 넓이)
=$8 \times 4 = 32$ (cm^2)

해결 방법 확인

사각형 모양의 종이를 폭이 일정하게 잘라 낸 것입니다. 보기와 같이 색칠한 부분의 넓이를 구하세요.

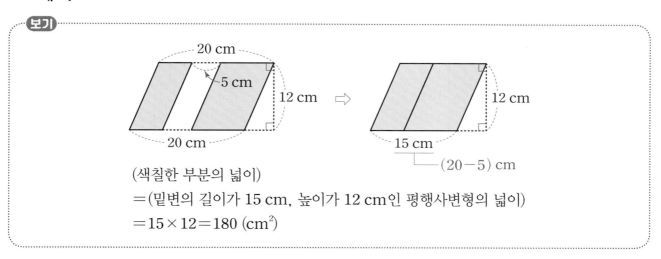

보기

(색칠한 부분의 넓이)
= (밑변의 길이가 15 cm, 높이가 12 cm인 평행사변형의 넓이)
= 15 × 12 = 180 (cm²)

1-1
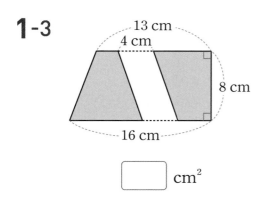

☐ cm²

1-2

10 cm
9 cm
3 cm
16 cm

☐ cm²

1-3

13 cm
4 cm
8 cm
16 cm

☐ cm²

1-4
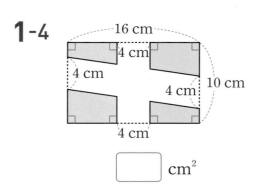

☐ cm²

도형 집중 연습

🐸 사각형 모양의 땅을 폭이 일정하게 잘라 낸 것입니다. 색칠한 부분의 넓이를 구하세요.

1-1

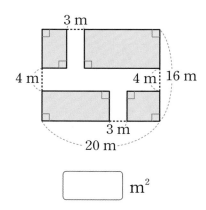

☐ m²

1-2

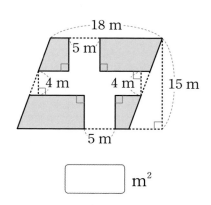

☐ m²

1-3

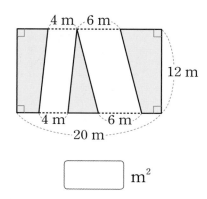

☐ m²

1-4

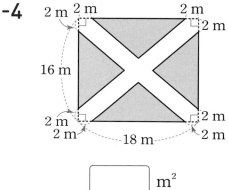

☐ m²

1-5

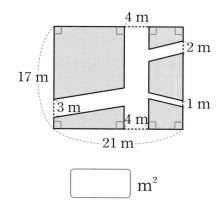

☐ m²

색칠한 부분을 한쪽으로
모아 직사각형 또는
평행사변형을 만들어요.

🍲 **사각형 모양에 폭을 일정하게 그은 것입니다. 색칠한 부분의 넓이를 구하세요.**

2-1

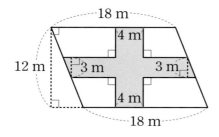

평행사변형의 넓이: ☐ m²

색칠하지 않은 부분의 넓이: ☐ m²

➡ 색칠한 부분의 넓이: ☐ m²

2-2

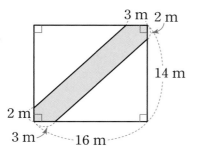

직사각형의 넓이: ☐ m²

색칠하지 않은 부분의 넓이: ☐ m²

➡ 색칠한 부분의 넓이: ☐ m²

2-3

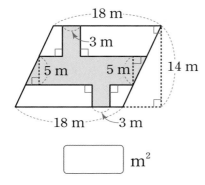

☐ m²

2-4

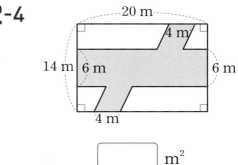

☐ m²

🍲 **직사각형 모양의 종이에 국기를 그린 것입니다. 파란색 선으로 표시한 부분의 넓이를 구하세요.**

3-1 덴마크 국기

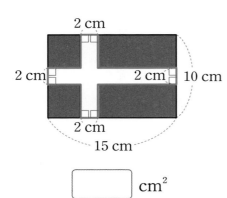

☐ cm²

3-2 자메이카 국기

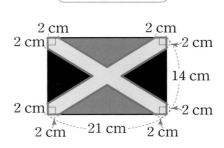

☐ cm²

누구나 100점 맞는 TEST

01 둘레가 18 cm인 직사각형을 그려 보세요.

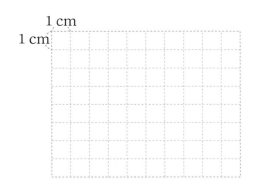

02 그어진 선분을 한 변으로 하고 둘레가 12 cm인 평행사변형을 그려 보세요.

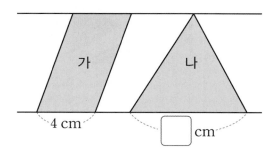

03 두 직선은 서로 평행합니다. 평행사변형 가와 삼각형 나의 넓이가 같을 때 ☐ 안에 알맞은 수를 써넣으세요.

04 평행사변형의 넓이를 이용하여 ☐ 안에 알맞은 수를 써넣으세요.

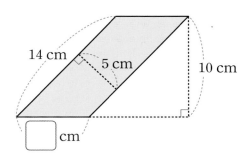

05 직각으로 이루어진 도형의 둘레를 구하세요.

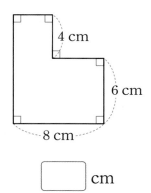

06 직각으로 이루어진 도형의 둘레를 구하세요.

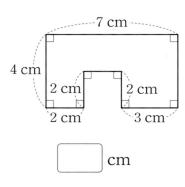

⬚ cm

07 색칠한 부분의 넓이를 구하세요.

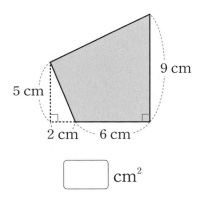

⬚ cm²

08 색칠한 다각형의 넓이를 구하세요.

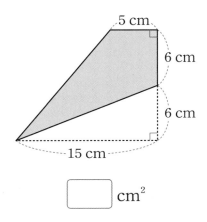

⬚ cm²

[09~10] 직사각형 모양의 땅을 폭이 일정하게 잘라 낸 것입니다. 색칠한 부분의 넓이를 구하세요.

09

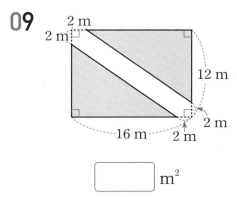

⬚ m²

10

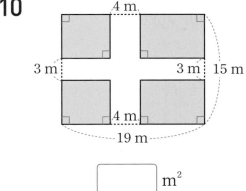

⬚ m²

다각형의 넓이 구하기

● 사다리꼴의 넓이 구하기

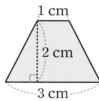

(사다리꼴의 넓이)

$=((윗변의 길이)+(아랫변의 길이))\times(높이)\div2$

$=(1+3)\times2\div2=4\ (cm^2)$

(픽의 정리)
$=(둘레에 있는 점의 개수)\div2-1+(내부에 있는 점의 개수)$

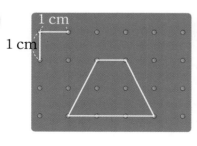

(사다리꼴의 넓이)

$=(둘레에 있는 점의 개수)\div2-1+(내부에 있는 점의 개수)$

$=6\div2-1+2=3-1+2=4\ (cm^2)$

피타고라스의 정리

피타고라스의 정리

직각삼각형의 각 변을 한 변으로 하는 정사각형을 3개 그린 것입니다.

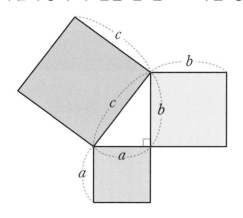

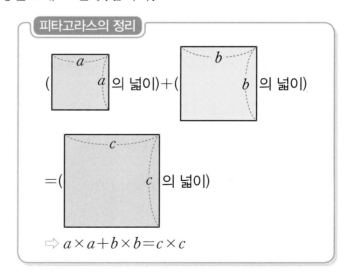

피타고라스의 정리

$(\boxed{a} \text{의 넓이}) + (\boxed{b} \text{의 넓이})$

$= (\boxed{c} \text{의 넓이})$

$\Rightarrow a \times a + b \times b = c \times c$

오스트리아 수학자 픽은 '픽의 정리'를 발표하여 다각형의 넓이를 구하는 방법을 알려주었습니다. 픽의 정리는 다음과 같습니다.

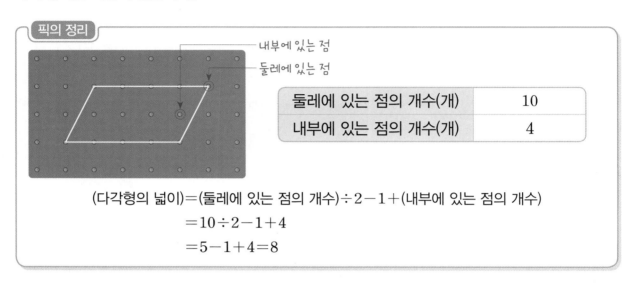

둘레에 있는 점의 개수(개)	10
내부에 있는 점의 개수(개)	4

(다각형의 넓이)＝(둘레에 있는 점의 개수)÷2－1＋(내부에 있는 점의 개수)
＝10÷2－1＋4
＝5－1＋4＝8

도형판의 점과 점 사이의 가장 짧은 길이가 1 cm일 때, 표를 완성하고 다각형의 넓이를 픽의 정리로 구하세요.

❶

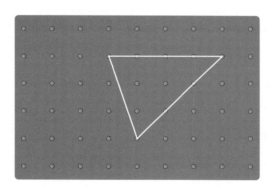

둘레에 있는 점의 개수(개)	8
내부에 있는 점의 개수(개)	

넓이: ☐ cm²

❷

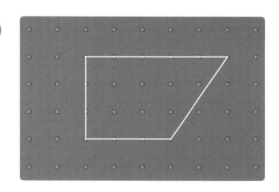

둘레에 있는 점의 개수(개)	
내부에 있는 점의 개수(개)	

넓이: ☐ cm²

도형판의 점과 점 사이의 가장 짧은 길이가 $1\,cm$일 때, 다각형의 넓이를 픽의 정리로 구하세요.

3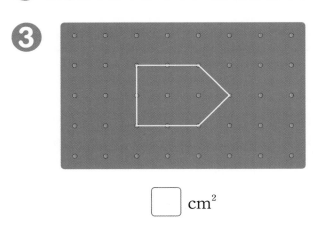

$\boxed{}\ cm^2$

4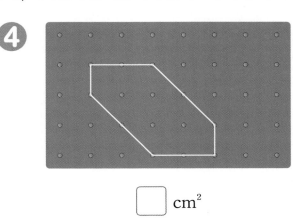

$\boxed{}\ cm^2$

5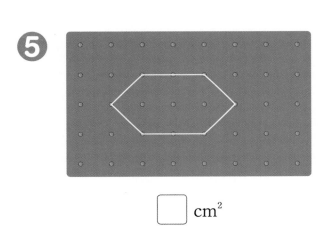

$\boxed{}\ cm^2$

6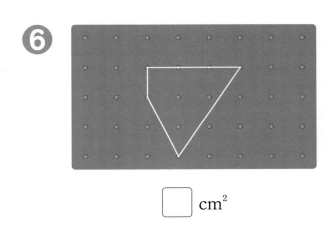

$\boxed{}\ cm^2$

7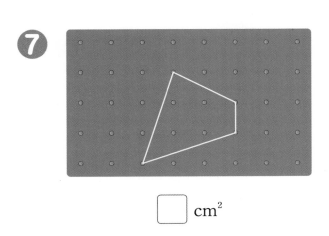

$\boxed{}\ cm^2$

8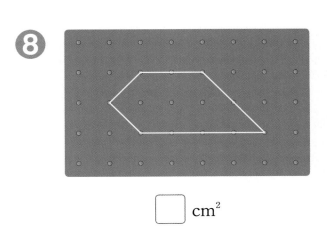

$\boxed{}\ cm^2$

🐸 다음은 직각삼각형의 각 변을 한 변으로 하는 정사각형을 3개 그린 것입니다. 피타고라스의 정리를 보고 색칠한 정사각형의 넓이를 구하세요.

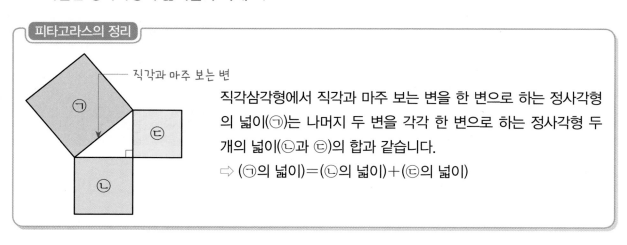

피타고라스의 정리

직각과 마주 보는 변

직각삼각형에서 직각과 마주 보는 변을 한 변으로 하는 정사각형의 넓이(㉠)는 나머지 두 변을 각각 한 변으로 하는 정사각형 두 개의 넓이(㉡과 ㉢)의 합과 같습니다.

⇨ (㉠의 넓이)=(㉡의 넓이)+(㉢의 넓이)

❾

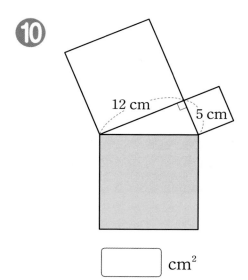

4 cm

3 cm

◻ cm²

❿

12 cm   5 cm

◻ cm²

⓫

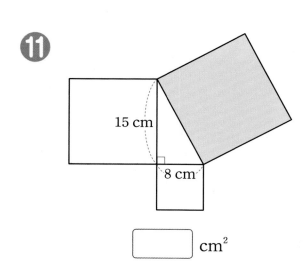

15 cm

8 cm

◻ cm²

참고

우리 둘의 넓이를 더하면

내 넓이가 돼요.

직각삼각형의 각 변을 한 변으로 하는 정사각형을 3개 그린 것입니다. 피타고라스의 정리에 의해
선분 ㄱㄴ의 길이를 구하세요.

⓬

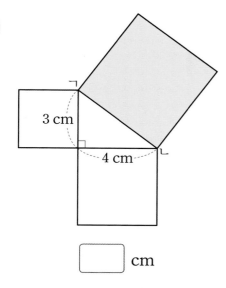

3 cm

4 cm

[   ] cm

⓭

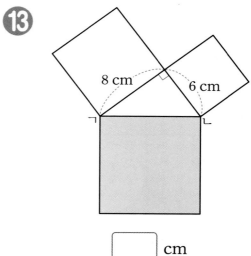

8 cm   6 cm

[   ] cm

⓮

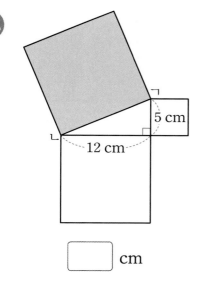

5 cm

12 cm

[   ] cm

⓯

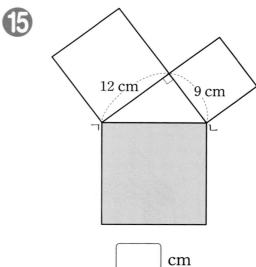

12 cm   9 cm

[   ] cm

2주 합동과 대칭

 이번 주에는 무엇을 공부할까요? ❶

진식아, 오늘은 뭘 만들고 있니?

우주왕복선을 만드는 중이지.

오~ 제법 멋진데?

어? 근데 이상한 부분이 있네?

양쪽의 날개 크기가 다른데?

으아악~ 어떻게 된 거지?

하하~ 진식이가 뭔가 괴로운 일이 있구나.

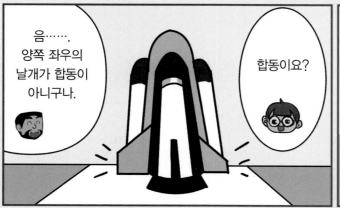

음······. 양쪽 좌우의 날개가 합동이 아니구나.

합동이요?

모양과 크기가 같아서 포개었을 때 완전히 겹치는 두 도형을 합동이라고 해.

합동

합동

똑똑한 하루 도형

✳ 합동

🐻 왼쪽 도형과 서로 합동인 도형을 찾아 기호를 쓰세요.

1-1

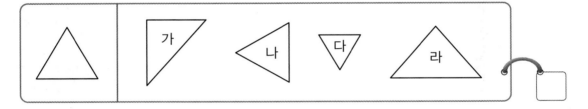

1-2

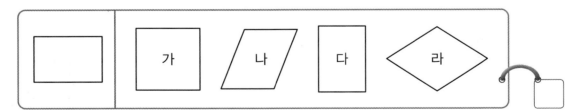

1-3

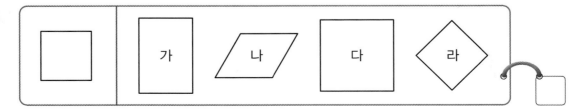

✱ 선대칭도형, 점대칭도형

🐻 선대칭도형이면 '선', 점대칭도형이면 '점'에 ○표 하세요.

2-1

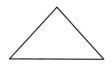

(선 , 점)

2-2

(선 , 점)

2-3

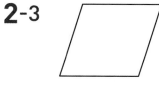

(선 , 점)

2-4

(선 , 점)

2-5

(선 , 점)

2-6

(선 , 점)

2-7

(선 , 점)

2-8

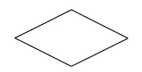

(선 , 점)

2-9

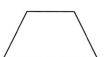

(선 , 점)

일 1 합동

 오늘은 무엇을 공부할까요?

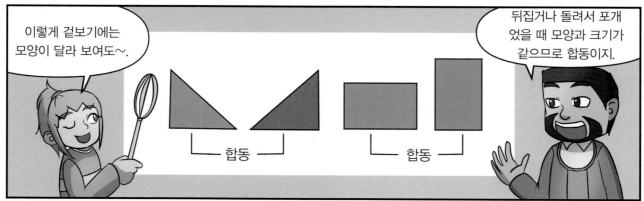

도형 기본 개념

● 합동

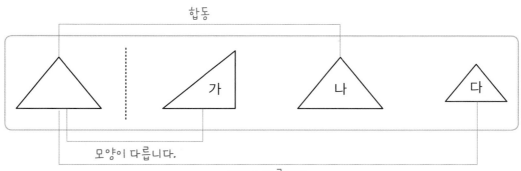

모양과 크기가 같아서 포개었을 때 완전히 겹치는 두 도형을 서로 합동이라고 합니다.

➡ 주어진 도형과 합동인 도형은 [❶   ] 입니다.

정답 ❶ 나

1^일 합동

활동을 통하여 개념을 알아보아요.

◉ 합동인 도형 알아보기

활동 1 색종이를 이용하여 서로 합동인 도형 알아보기

색종이에 별 모양을 그립니다.

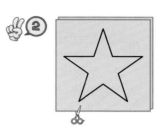
다른 색종이 한 장을 겹쳐서 두 장의 색종이를 가위로 잘라 봅니다.

모양과 크기가 같아서 포개었을 때 완전히 겹치는 두 도형을 서로 합동이라고 해요.

완전히 겹치므로 서로 합동입니다.

활동 2 도형을 점선을 따라 잘라 서로 합동인 도형 찾아보기

① 점선을 따라 모두 잘라 봅니다.

② 뒤집거나 돌려서 완전히 겹치는 도형을 찾아봅니다.

가를 아래로 뒤집으면 다와 완전히 겹칩니다.

나를 오른쪽으로 뒤집으면 라와 완전히 겹칩니다.

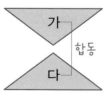
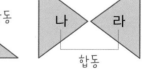
서로 합동인 도형을 찾으면 가와 다, 나와 라입니다.

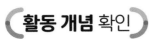

활동 개념 확인

🐢 도형을 점선을 따라 잘랐을 때 잘린 도형이 서로 합동이 되는 것끼리 짝 지어 보세요.

1-1

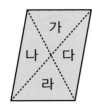

가와 ☐
나와 ☐

1-2

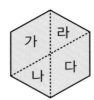

가와 ☐
나와 ☐

1-3

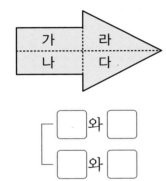

☐ 와 ☐
☐ 와 ☐

1-4

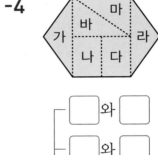

☐ 와 ☐
☐ 와 ☐
☐ 와 ☐

1-5

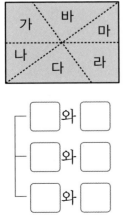

☐ 와 ☐
☐ 와 ☐
☐ 와 ☐

1-6

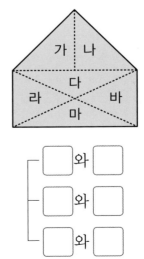

☐ 와 ☐
☐ 와 ☐
☐ 와 ☐

도형 집중 연습

🍮 직사각형을 점선을 따라 모두 잘랐을 때 서로 합동인 도형은 모두 몇 쌍인지 구하세요.

1-1
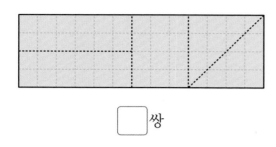
⬜쌍

1-2
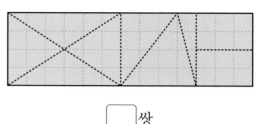
⬜쌍

1-3
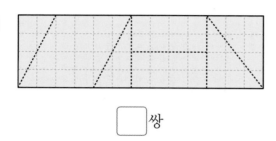
⬜쌍

1-4
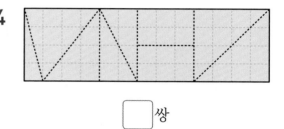
⬜쌍

1-5
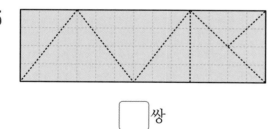
⬜쌍

1-6
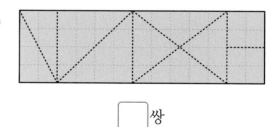
⬜쌍

1-7
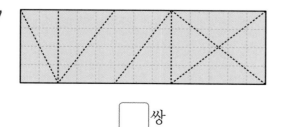
⬜쌍

1-8
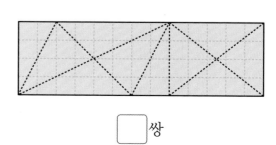
⬜쌍

도형에서 찾을 수 있는 서로 합동인 삼각형은 모두 몇 쌍인지 구하세요.

2-1

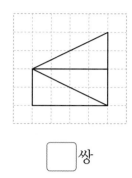

☐쌍

2-2

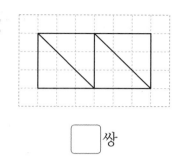

☐쌍

2-3

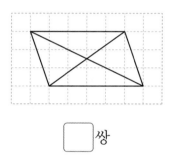

☐쌍

도형 2개, 3개……가 합쳐져
삼각형이 되는 경우도 있어요.

2주
1일

2-4

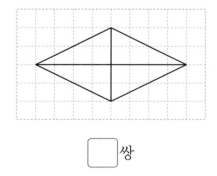

☐쌍

2-5

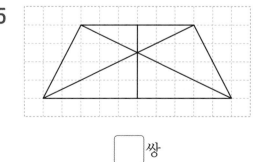

☐쌍

2^일 합동인 도형 만들기

 ## 오늘은 무엇을 공부할까요?

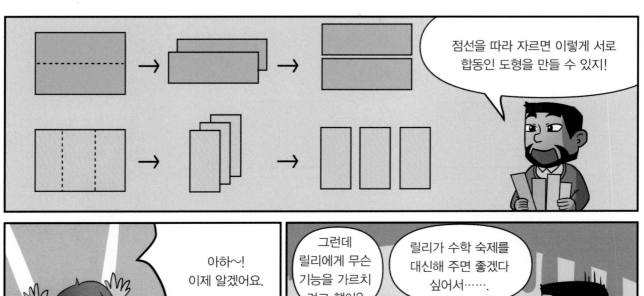

2주
2일

도형 기본 개념

● 서로 합동인 도형 만들기

점선을 따라 잘라서 포개었을 때 잘린 도형이 완전히 겹치면 서로 [❶   ] 입니다.

(1) 서로 합동인 도형이 2개가 되도록 잘라 만들기

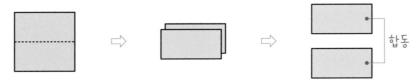

(2) 서로 합동인 도형이 3개가 되도록 잘라 만들기

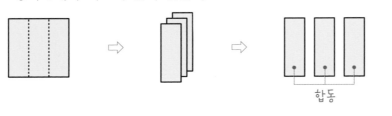

정답   ❶ 합동

합동인 도형 만들기

 활동을 통하여 **개념**을 알아보아요.

○ 직사각형 모양의 종이를 주어진 수만큼 서로 합동인 도형이 되도록 만들기

활동 1 서로 합동인 도형이 2개가 되도록 만들기

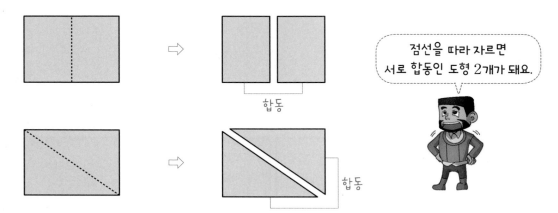

점선을 따라 자르면
서로 합동인 도형 2개가 돼요.

합동

합동

활동 2 서로 합동인 도형이 3개가 되도록 만들기

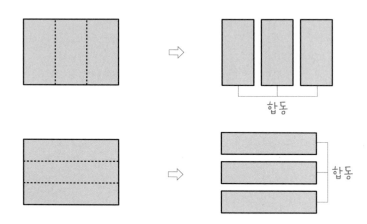

합동

합동

활동 3 서로 합동인 도형이 4개가 되도록 만들기

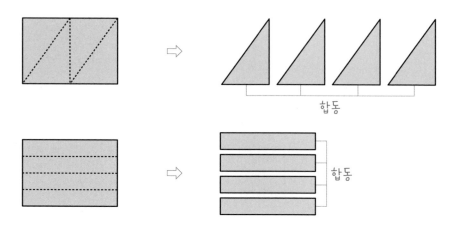

합동

합동

활동 개념 확인

🍯 도형을 주어진 수만큼 서로 합동인 도형이 되도록 선을 그어 보세요.

1-1

정삼각형

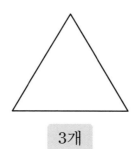

3개

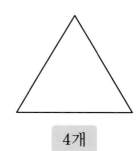

4개

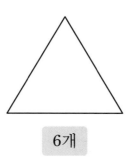

6개

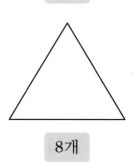

8개

1-2

마름모

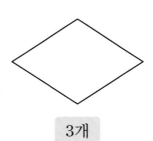

3개

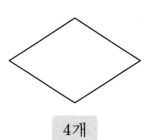

4개

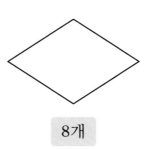

8개

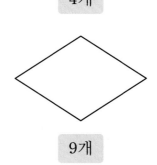

9개

2^일 합동인 도형 만들기

도형 집중 연습

주어진 수만큼 서로 합동인 도형이 되도록 선을 그어 보세요.

1-1  ③

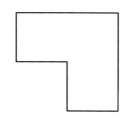 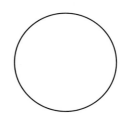 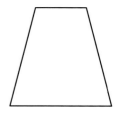

1-2  ④

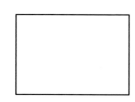  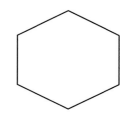

1-3  ⑤

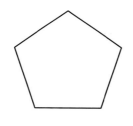  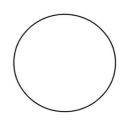

1-4  ⑥

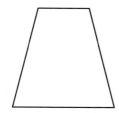 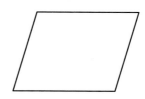 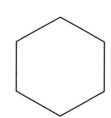

2 여러 가지 방법으로 정사각형을 잘라 서로 합동인 도형을 4개 만들려고 합니다. 정사각형에 자르는 선을 그어 보세요.

모양과 크기가 같은 도형이 4개 나오도록 선을 그어 봐요.

 오늘은 무엇을 공부할까요?

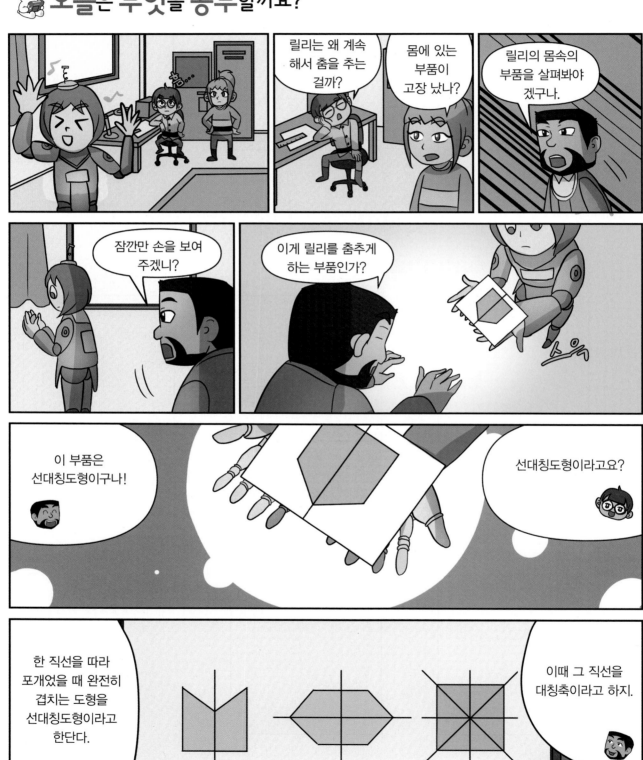

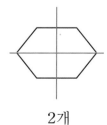

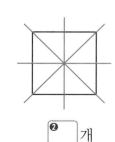

도형 기본 개념

● 선대칭도형과 대칭축

한 직선을 따라 접어서 완전히 겹치는 도형을 선대칭도형이라고 합니다.
이때 그 직선을 대칭축이라고 합니다.

대칭축 →

● 선대칭도형의 대칭축의 개수 구하기

❶　개

2개

❷　개

정답 ❶1 ❷4

3^일 대칭축 그리기

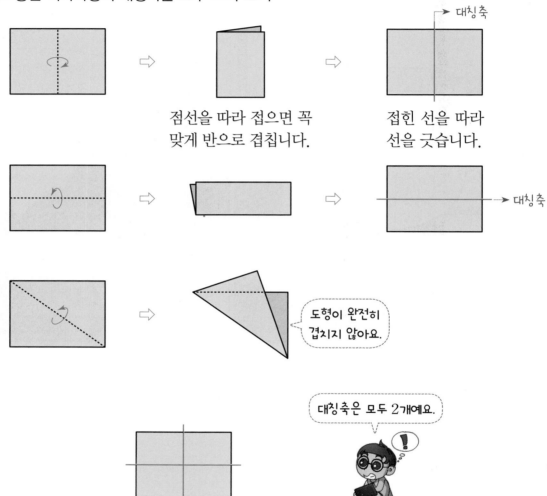

🐻 **활동**을 통하여 **개념**을 알아보아요.

● **선대칭도형의 대칭축 그리기**

(활동) 선대칭도형인 직사각형의 대칭축을 모두 그려 보기

점선을 따라 접으면 꼭 맞게 반으로 겹칩니다.

접힌 선을 따라 선을 긋습니다.

→ 대칭축

→ 대칭축

도형이 완전히 겹치지 않아요.

대칭축은 모두 2개예요.

개념 짚어 보기

• 선대칭도형은 도형에 따라 대칭축이 여러 개 있을 수 있습니다.

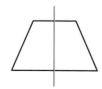

대칭축: 1개

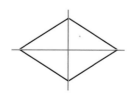

대칭축: 2개

대칭축이 수없이 많습니다.

활동 개념 확인

🐸 그림에서 대칭축을 찾아 그려 보세요.

1-1

▲에펠탑

에펠탑은 프랑스 파리의 센강 변에 있는 높이 약 324 m의 철탑이에요.

1-2

▲경복궁 경회루

국보 제224호로 경복궁 근정전 서북쪽 연못 안에 세운 경회루는 나라에 경사가 있거나 사신이 왔을 때 연회를 베풀던 곳이에요.

🐸 다음은 선대칭도형입니다. 대칭축을 모두 찾아 그려 보세요.

2-1

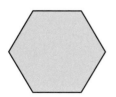

2-2

2-3

2-4

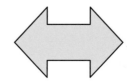

도형 집중 연습

🥣 다음은 선대칭도형입니다. **보기** 와 같이 대칭축이 모두 몇 개인지 구하세요.

보기

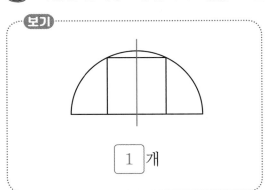

1 개

1-1

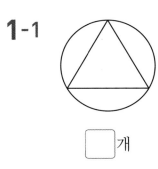

☐ 개

1-2

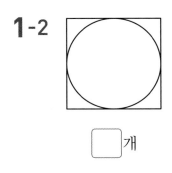

☐ 개

1-3

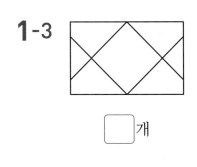

☐ 개

1-4

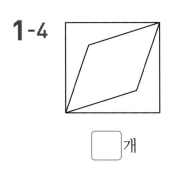

☐ 개

1-5

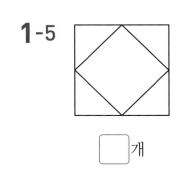

☐ 개

1-6

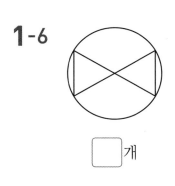

☐ 개

1-7

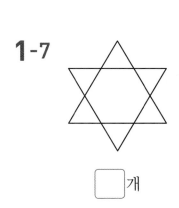

☐ 개

펜토미노는 정사각형 5개를 붙인 퍼즐입니다. 다음 펜토미노 중 선대칭도형을 모두 찾아 대칭축을 모두 그려 보세요.

2-1

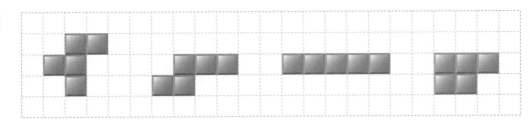

2-2

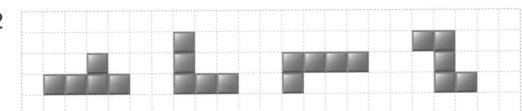

2-3

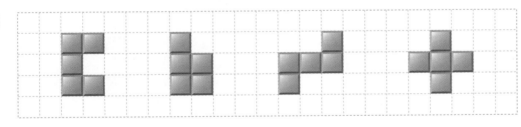

2-4

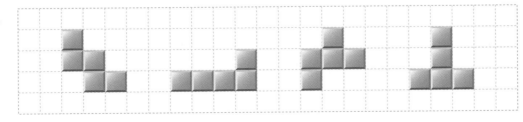

대칭인 도형

 오늘은 무엇을 공부할까요?

후훗. 드디어 새로운 부품을 손에 넣었어!

릴리 업그레이드에 쓸 부품이구나!

부품들 모양이 특이한걸!

이번에는 설명서 먼저 봐야지!

음....... 선대칭도형, 점대칭도형은 방향에 상관없이 끼워도 된대!

선대칭도형? 점대칭도형? 그게 뭘까?

아마 이 부품의 모양을 말하는 것 같아.

어떤 것이 선대칭도형이고 어떤 것이 점대칭도형일까?

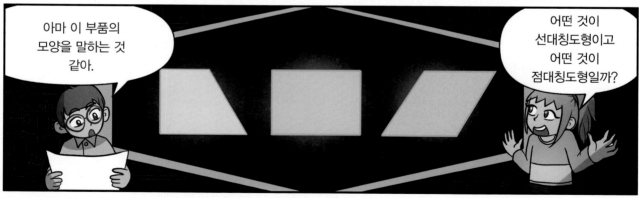

하핫. 선대칭도형과 점대칭도형에 대해 알아볼까?

박사님!

한 직선을 따라 접어서 완전히 겹치는 도형이 선대칭도형!

어떤 점을 중심으로 180° 돌렸을 때 처음 도형과 완전히 겹치면 점대칭도형이지.

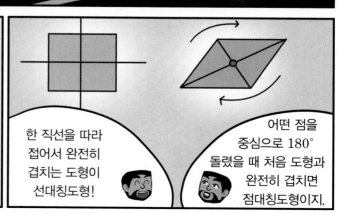

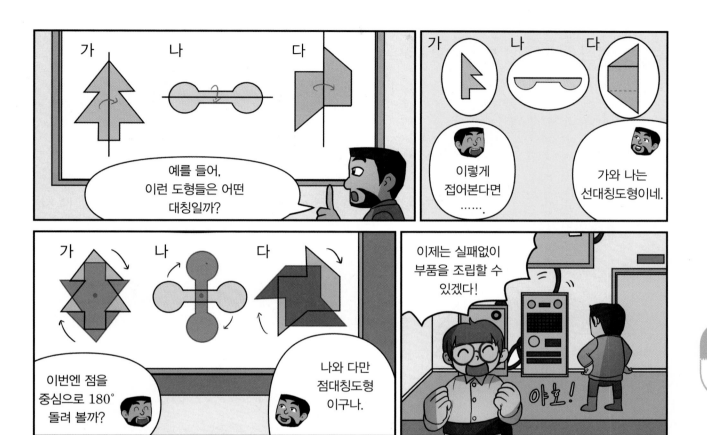

도형 기본 개념

● **도형을 보고 선대칭도형과 점대칭도형 찾아보기**

가　　　　　나　　　　　다

• 선대칭도형은 한 직선을 따라 접었을 때 완전히 겹치는 도형이므로 **❶**□입니다.

• 점대칭도형은 어떤 점을 중심으로 180° 돌렸을 때 처음 도형과 완전히 겹치는 도형이므로 **❷**□입니다.

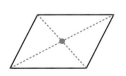

4일 대칭인 도형

 **활동**을 통하여 **개념**을 알아보아요.

◎ 도형을 보고 선대칭도형과 점대칭도형 찾아보기

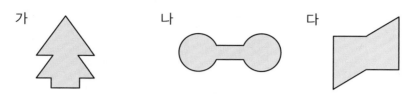

가   나   다

활동 1 주어진 직선을 따라 접었을 때 완전히 겹치는 도형 찾아보기

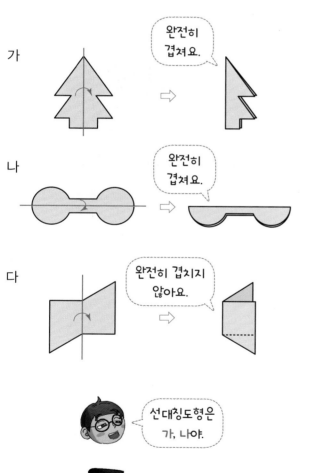

활동 2 주어진 점을 중심으로 180° 돌렸을 때 처음 도형과 완전히 겹치는 도형 찾아보기

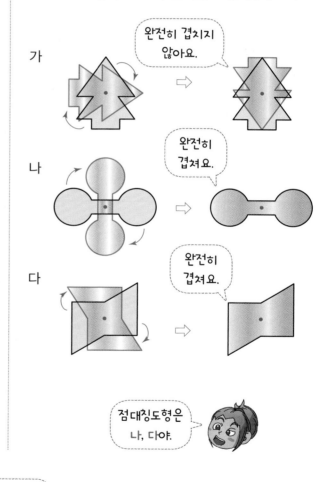

활동 개념 확인

지도에서 쓰이는 기호입니다. 기호가 선대칭도형이면 '선', 점대칭도형이면 '점'에 ○표 하세요.

1-1

▲소방서

(선 , 점)

1-2

▲우체국

(선 , 점)

1-3

▲사찰(절)

(선 , 점)

1-4

▲교회

(선 , 점)

1-5

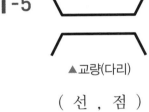

▲교량(다리)

(선 , 점)

1-6

▲병원

(선 , 점)

1-7

▲산

(선 , 점)

1-8

▲등대

(선 , 점)

지도에서는 한눈에 알아보기 쉽게 간단하게 나타낸 기호를 사용해요.

1-9

▲경찰서

(선 , 점)

1-10

▲발전소

(선 , 점)

4일 대칭인 도형

도형 집중 연습

문자 중 선대칭도형이면 '선', 점대칭도형이면 '점'에 ◯표 하세요.

1-1

(선 , 점)

1-2

(선 , 점)

1-3

(선 , 점)

1-4

(선 , 점)

1-5

(선 , 점)

1-6

(선 , 점)

1-7

(선 , 점)

1-8

(선 , 점)

1-9

(선 , 점)

2 수 카드 중에서 선대칭이면서 점대칭인 수를 찾아보세요.

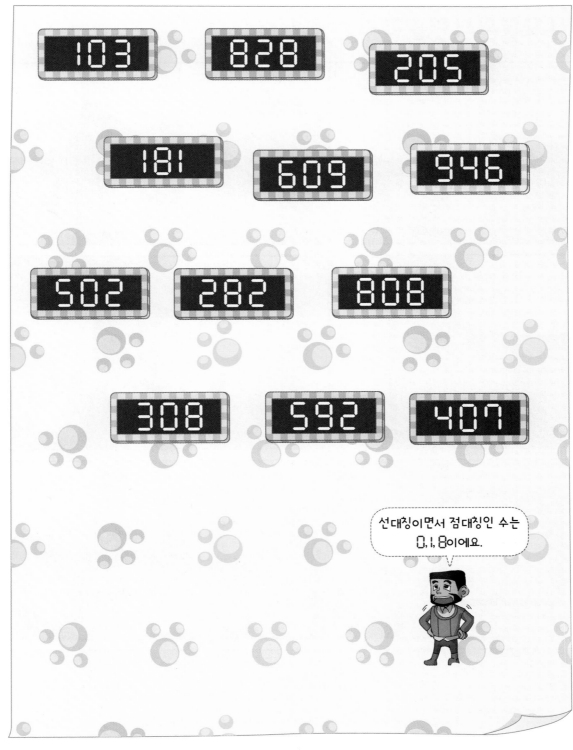

선대칭이면서 점대칭인 수는 0, 1, 8이에요.

선대칭인 수 (   )

점대칭인 수 (   )

선대칭이면서 점대칭인 수 (   )

5일 점대칭도형이 되도록 점 찍기

🐻 오늘은 무엇을 공부할까요?

인공지능 로봇팀에서 와달라고 하는구나.

우와! 갈게요!

이번에는 무슨 일로 우리를 찾았을까요?

하핫. 들어가서 한 번 알아보자구나.

이야~. 나도형 박사, 오늘 찾아와줘서 고맙네.

고맙긴 뭘……. 근데 무슨 일인가?

안녕하세요.

우리가 개발 중인 드론이야.

드론이 점대칭으로 이동하는 기술을 연구 중이지.

점대칭이 뭔지 아이들에게 말해줘 볼까?

한 점을 중심으로 180° 돌렸을 때 처음 도형과 완전히 겹치는 도형이지요.

중심에 있는 센서를 통해 드론을 움직여 점대칭도형이 되도록 하는 거야.

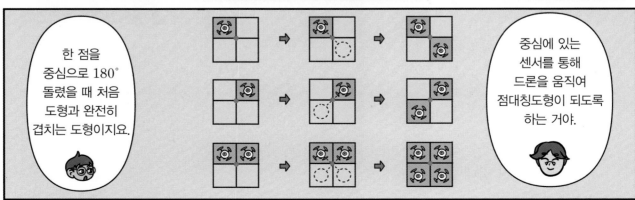

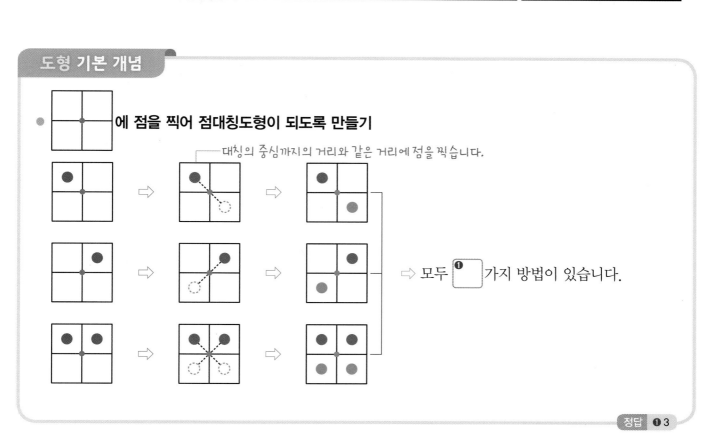

도형 기본 개념

에 점을 찍어 점대칭도형이 되도록 만들기

대칭의 중심까지의 거리와 같은 거리에 점을 찍습니다.

⇨ 모두 **❶** 가지 방법이 있습니다.

5^일 점대칭도형이 되도록 점 찍기

 활동을 통하여 **해결 방법**을 알아보아요.

◉ 그림이 점대칭도형이 되도록 점 1개 찍어 보기

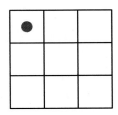

투명 종이에 본을 떠 봐요.

방법 1 ① 투명 종이에 본을 뜬 도형을 대칭의 중심에 누름 못을 꽂은 후 180° 돌려 보기

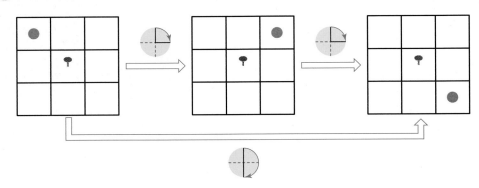

② 두 도형을 포개어 보기

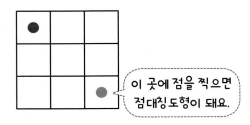

이 곳에 점을 찍으면 점대칭도형이 돼요.

방법 2 ① 주어진 점과 대칭의 중심을 지나는 직선을 긋기

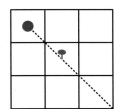

② 직선 위에 주어진 점과 대칭의 중심 까지의 거리와 같은 거리에 점 찍기

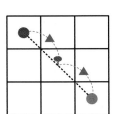

해결 방법 확인

🥚 **보기**와 같이 점대칭도형이 되도록 점 1개를 더 찍어 보세요.

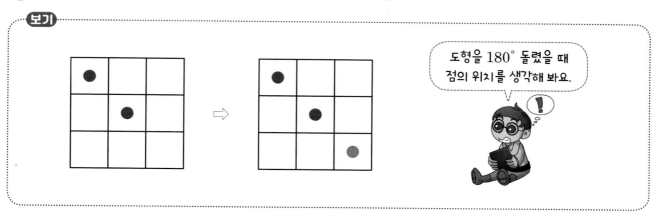

1-1

1-2

1-3

1-4

1-5

1-6

5^일 점대칭도형이 되도록 점 찍기

도형 집중 연습

그림이 점대칭도형이 되도록 점 2개를 더 찍어 보세요.

1-1

1-2

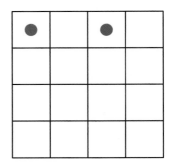

1-3

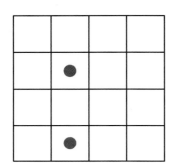

1-4

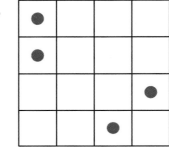

1-5

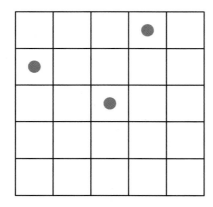

1-6

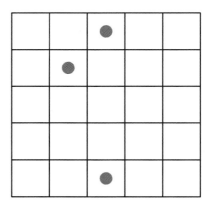

점대칭도형이 되도록 2개의 점을 칸 안에 그리는 방법을 모두 그려 보세요.

(단, 점은 한 칸에 1개만 그립니다.)

2-1

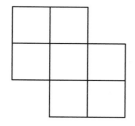

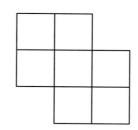

2-2

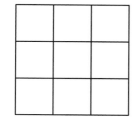

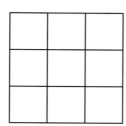

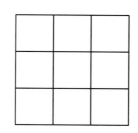

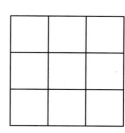

2-3

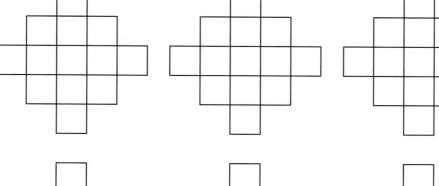

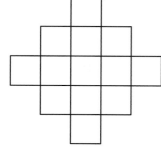

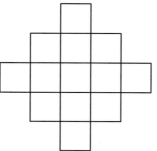

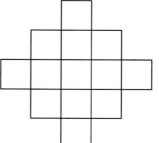

01 직사각형을 점선을 따라 모두 잘랐을 때 서로 합동인 도형은 모두 몇 쌍인지 구하세요.

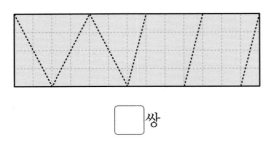

☐쌍

[02~03] 도형을 주어진 수만큼 서로 합동인 도형이 되도록 만들어 보세요.

02 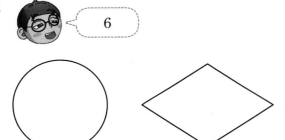 6

03 8

04 다음은 선대칭도형입니다. 대칭축을 모두 찾아 그려 보세요.

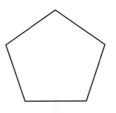

05 점대칭도형이 되도록 점 1개를 더 찍어 보세요.

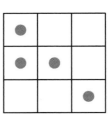

06 도형에서 찾을 수 있는 서로 합동인 삼각형은 모두 몇 쌍인지 구하세요.

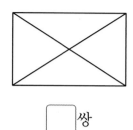

☐쌍

07 다음은 선대칭도형입니다. 대칭축은 모두 몇 개인지 구하세요.

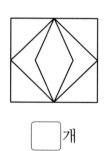

☐개

08 수 카드 중에서 선대칭이면서 점대칭인 수를 찾아 쓰세요.

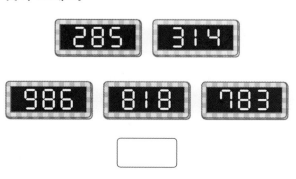

☐

09 문자가 선대칭도형이면 '선'에, 점대칭도형이면 '점'에 ◯표 하세요.

(선 , 점)

(선 , 점)

(선 , 점)

(선 , 점)

10 그림이 점대칭도형이 되도록 점 2개를 더 찍어 보세요.

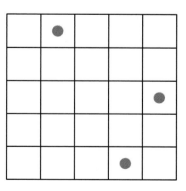

2_주

평가

특강 창의·융합·코딩

울타리 만들기

● 도형을 서로 합동인 도형이 3개가 되도록 나누기

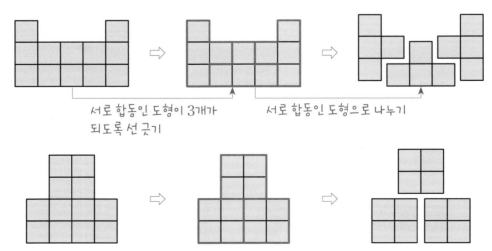

서로 합동인 도형이 3개가
되도록 선 긋기

서로 합동인 도형으로 나누기

순서도

➡️ 일이 일어나는 순서나 진행 흐름을 기호와 도형을 이용해서 순서대로 적어놓은 것

● **보기** 의 도형을 <u>순서도</u>에 따라 프로그램을 진행하기

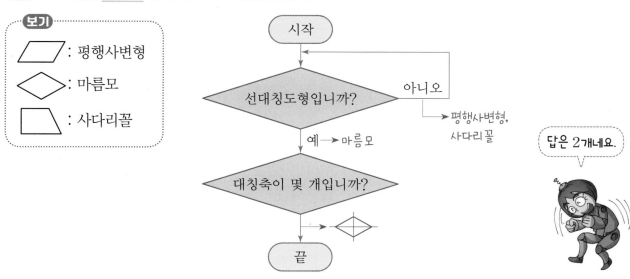

창의

모양과 크기가 같은 울타리 안에 꽃이 한 송이씩 들어가게 심으려고 합니다. 도형을 서로 합동이 되도록 나누어 울타리를 만들어 보세요.

①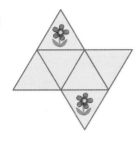

②

③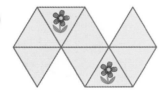

④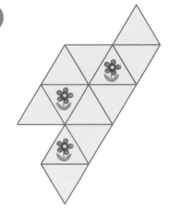

⑤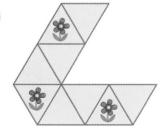

⑥

창의

모양과 크기가 같은 울타리 안에 동물이 한 마리씩 들어가게 하려고 합니다. 도형을 서로 합동이 되도록 울타리를 만들어 보세요. (단, 동물의 위치는 생각하지 않습니다.)

7

8

코딩 9 순서도(flow chart)는 일이 일어나는 순서나 작업의 진행 흐름을 기호와 도형을 이용해서 순서대로 적어놓은 것입니다. 자음자를 순서도에 따라 분류하여 보세요.

- : 순서도의 시작과 끝을 나타내는 기호
- : 자료의 값을 주거나 계산을 하는 처리 기호
- : 결정이나 비교 등의 판단 기호
- : 인쇄 기호

ㄱ ㄴ ㄷ ㄹ ㅁ ㅂ ㅅ
ㅇ ㅈ ㅊ ㅋ ㅌ ㅍ ㅎ

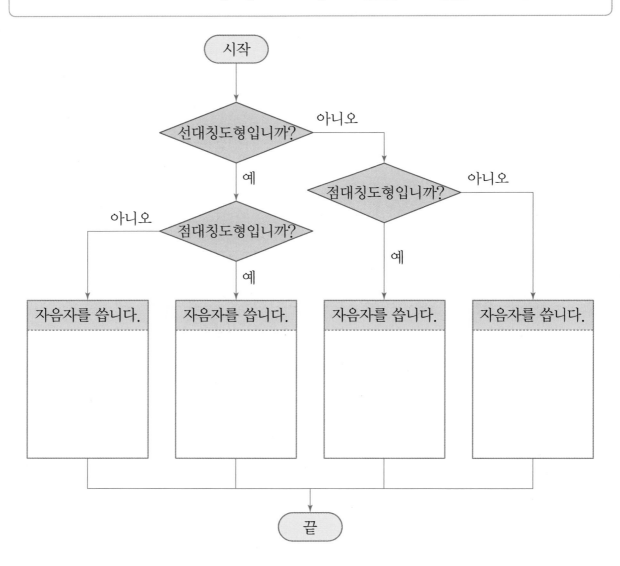

10 특수 문자를 순서도에 따라 분류하여 보세요.

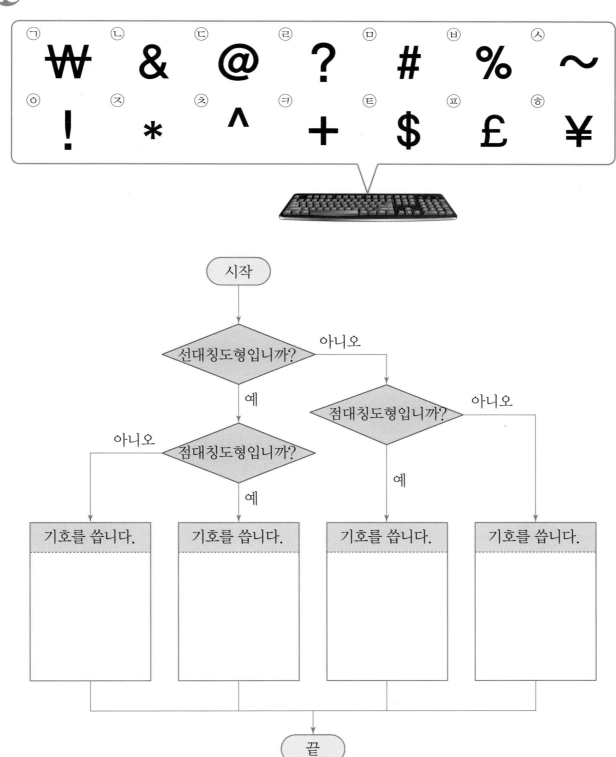

3주 합동과 대칭의 성질, 그리기

 이번 주에는 무엇을 공부할까요? **1**

안녕하세요!

오늘 릴리의 생일이지?

좀 더 예쁘게 만들고 싶은데…….

방법이 없을까?

이렇게 선대칭도형으로 그려 봐.

점대칭도형으로 그려도 예쁘겠군.

30°

㉠

서로 합동인 두 삼각형을 이어 붙였네?

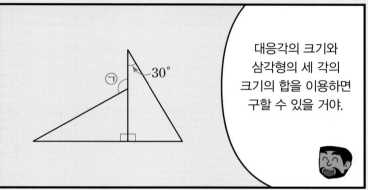

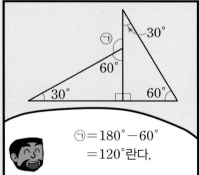

⁂ 선대칭도형의 성질

🐻 직선 ㄱㄴ을 대칭축으로 하는 선대칭도형입니다. ☐ 안에 알맞은 수를 써넣으세요.

1-1

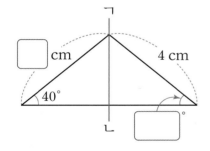

1-2

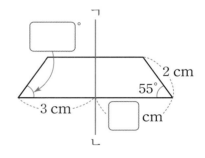

1-3

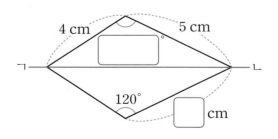

1-4

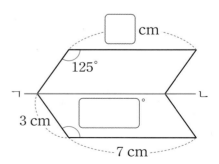

✷ 점대칭도형의 성질

🐻 점 ○을 대칭의 중심으로 하는 점대칭도형입니다. ▢ 안에 알맞은 수를 써넣으세요.

 2-1

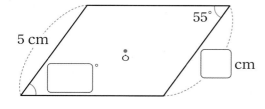

2-2

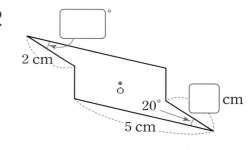

2-3

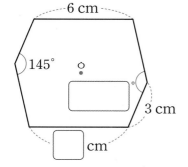

2-4

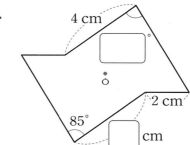

선대칭도형 그리기

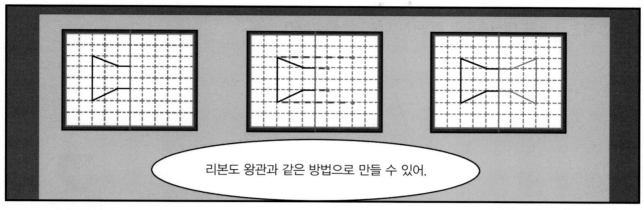

리본도 왕관과 같은 방법으로 만들 수 있어.

릴리도 멋져졌어!

춤바람은 왜 나는 건데…….

도형 기본 개념

● 선대칭도형 그리기

 대칭축에 거울을 대어 보고, 숨겨진 글자가 무엇인지 찾아보세요.

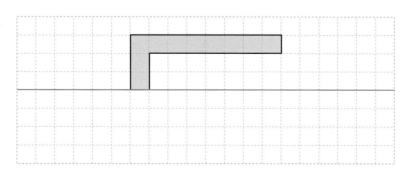

대칭축에 거울을 대면 선대칭이 되는구나.

숨겨진 글자는 ❶ [   ]이네요!

정답 ❶ ㄷ

1^일 선대칭도형 그리기

🐻 **활동**을 통하여 **개념**을 알아보아요.

활동 직선 ㅅㅇ을 대칭축으로 하는 선대칭도형 완성하기

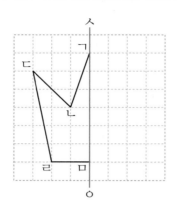

선대칭도형에서 각각의 대응점에서 대칭축까지의 길이가 서로 같음을 이용해서 그려 보세요.

①️ 각 점에서 대칭축에 수선을 긋고 이 수선에 각 점의 대응점을 찾아 표시합니다.

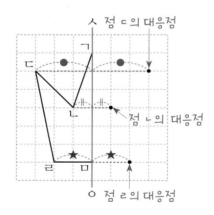

✌②️ ☝①️에서 찾은 각 대응점을 차례로 선으로 이어 선대칭도형을 완성합니다.

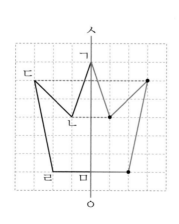

참고

각 대응점을 차례로 선으로 이어서 선대칭도형을 완성해야 합니다.

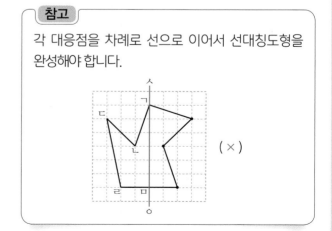

(×)

활동 개념 확인

같은 도형을 직선 ㄱㄴ, 직선 ㄷㄹ을 대칭축으로 하는 선대칭도형이 되도록 그려 보세요.

1-1

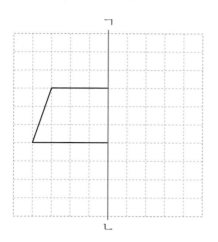

1-2

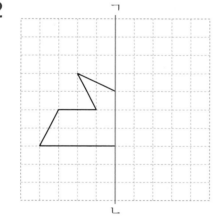

1-3

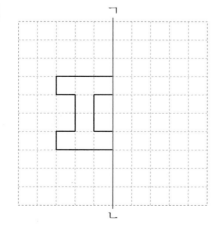

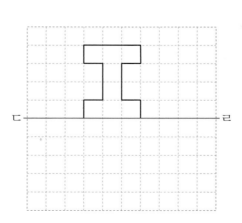

1^일 선대칭도형 그리기

도형 집중 연습

😊 선대칭도형이 되도록 그림을 완성하세요.

1-1

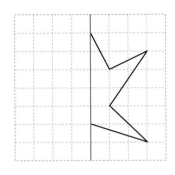

1-2

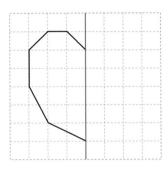

1-3

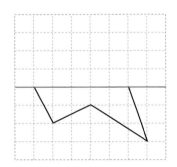

1-4

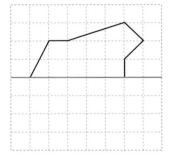

1-5

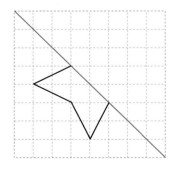

1-6

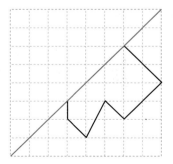

직선 ㄱㄴ을 대칭축으로 하는 선대칭도형을 완성하고, 완성한 선대칭도형의 넓이는 몇 cm²인지 구하세요.

2-1

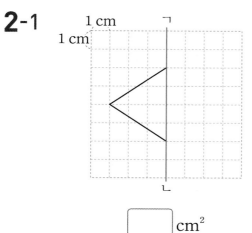

1 cm
1 cm

☐ cm²

2-2

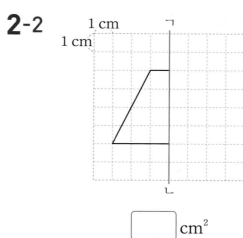

1 cm
1 cm

☐ cm²

2-3

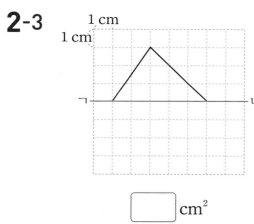

1 cm
1 cm

☐ cm²

2-4

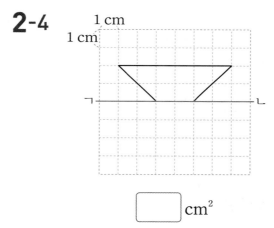

1 cm
1 cm

☐ cm²

2-5

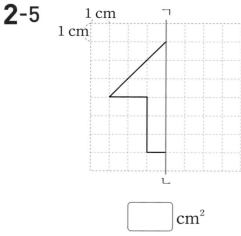

1 cm
1 cm

☐ cm²

2-6

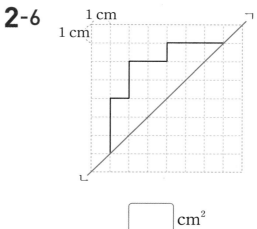

1 cm
1 cm

☐ cm²

2^일 점대칭도형 그리기

🐻 **오늘은 무엇을 공부할까요?**

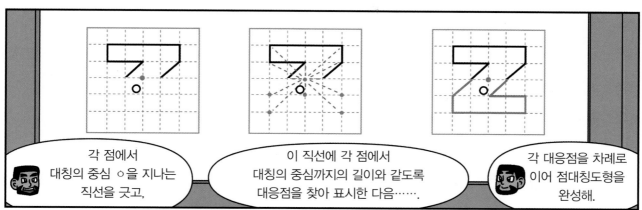

도형 기본 개념

● 점대칭도형 그리기

 점대칭도형을 완성하고, 숨겨진 글자가 무엇인지 찾아보세요.

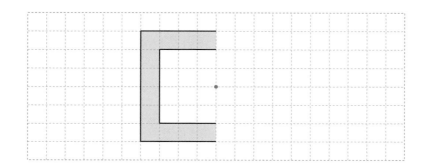

숨겨진 글자는 **①** 이네요!

정답 **①** ㅁ

2일 점대칭도형 그리기

 활동을 통하여 **개념**을 알아보아요.

활동 점 ㅇ을 대칭의 중심으로 하는 점대칭도형 완성하기

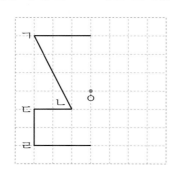

각각의 대응점에서
대칭의 중심까지의 거리가 서로
같음을 이용해서 그려 보세요.

① 각 점에서 대칭의 중심 ㅇ을 지나는 직선을 긋고 이 직선에 각 점에서 대칭의 중심까지의 길이
와 같도록 대응점을 찾아 표시합니다.

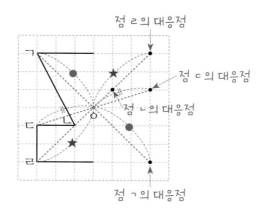

점 ㄹ의 대응점

점 ㄷ의 대응점

점 ㄴ의 대응점

점 ㄱ의 대응점

② ①에서 찾은 각 대응점을 차례로 선으로 이어 점대칭도형을 완성합니다.

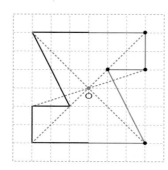

대응점은 대칭의 중심에서
반대쪽으로 같은 거리에 있어요.

점 ○을 대칭의 중심으로 하는 점대칭도형을 완성하세요.

1-1

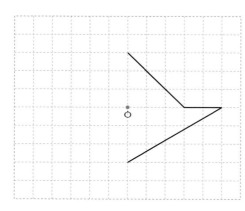

1-2

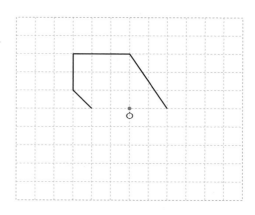

1-3

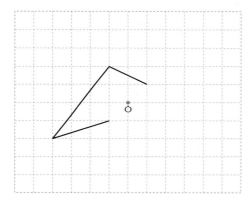

1-4

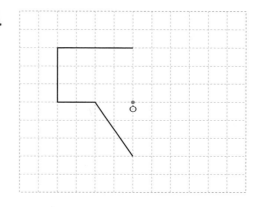

1-5

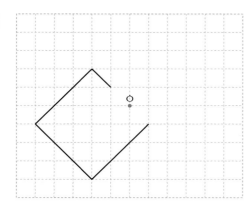

1-6

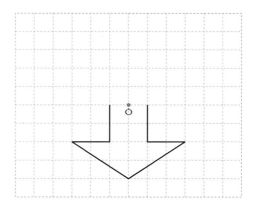

도형 집중 연습

점 ○을 대칭의 중심으로 하는 점대칭도형을 완성하고, 완성한 점대칭도형은 몇 각형인지 쓰세요.

1-1

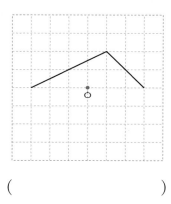

(   )

1-2

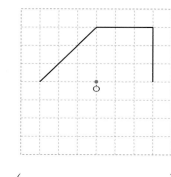

(   )

1-3

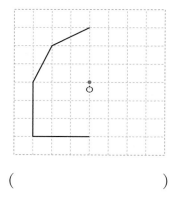

(   )

1-4

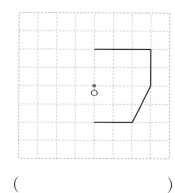

(   )

1-5

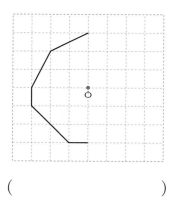

(   )

1-6

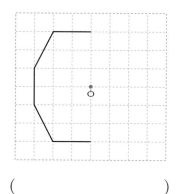

(   )

점 ○을 대칭의 중심으로 하는 점대칭도형을 완성하고, 완성한 점대칭도형의 넓이는 몇 cm²인지 구하세요.

2-1

1 cm
1 cm

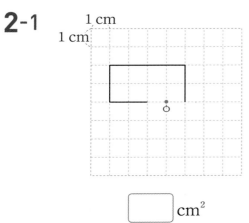

[ ] cm²

2-2

1 cm
1 cm

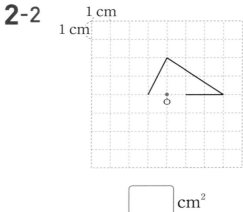

[ ] cm²

2-3

1 cm
1 cm

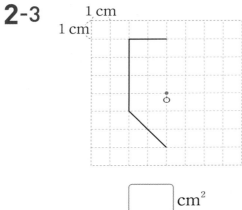

[ ] cm²

2-4

1 cm
1 cm

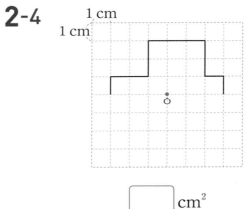

[ ] cm²

2-5

1 cm
1 cm

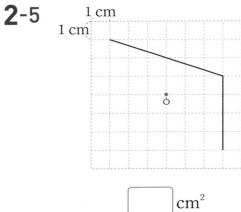

[ ] cm²

2-6

1 cm
1 cm

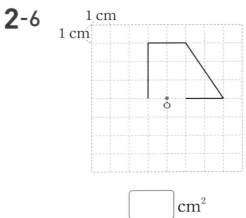

[ ] cm²

3주
2일

3일 합동인 도형에서 각의 크기 구하기

🐻 오늘은 무엇을 공부할까요?

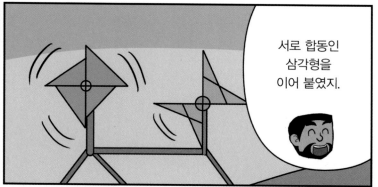

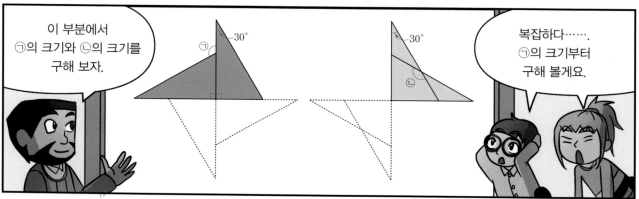

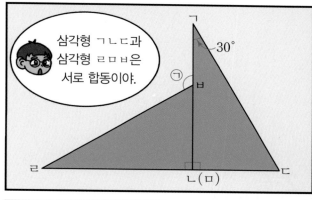

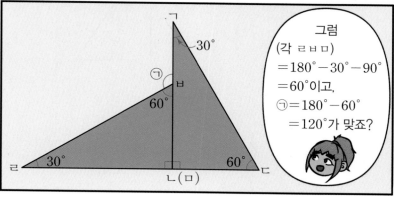

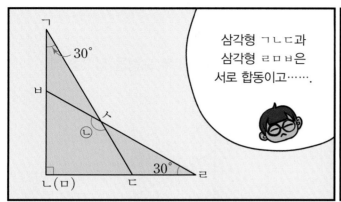

삼각형 ㄱㄴㄷ과
삼각형 ㄹㅁㅂ은
서로 합동이고……

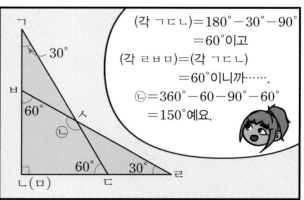

(각 ㄱㄷㄴ)=180°−30°−90°
=60°이고
(각 ㄹㅂㅁ)=(각 ㄱㄷㄴ)
=60°이니까……
ㄴ=360°−60°−90°−60°
=150°예요.

릴리는 어디
간 거야?

갈가~

문제는
안 풀고……

저 위에서
바람 쐬고
있었네!

도형 기본 개념

● **합동인 두 도형에서 대응점, 대응변, 대응각 알아보기**

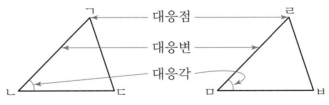

- **대응점**: 서로 합동인 두 도형을 포개었을 때 완전히 겹치는 점

  예) 점 ㄱ과 점 ㄹ, 점 ㄴ과 점 ㅁ, 점 ㄷ과 점 **❶**[   ]

- **대응변**: 서로 합동인 두 도형을 포개었을 때 완전히 겹치는 변

  예) 변 ㄱㄴ과 변 **❷**[   ], 변 ㄴㄷ과 변 ㅁㅂ, 변 ㄷㄱ과 변 ㅂㄹ

- **대응각**: 서로 합동인 두 도형을 포개었을 때 완전히 겹치는 각

  예) 각 ㄱㄴㄷ과 각 ㄹㅁㅂ, 각 ㄴㄷㄱ과 각 **❸**[   ], 각 ㄷㄱㄴ과 각 ㅂㄹㅁ

정답 ❶ ㅂ ❷ ㄹㅁ ❸ ㅁㅂㄹ

🐻 **활동**을 **통하여 해결 방법**을 알아보아요.

◉ 삼각형 ㄱㄴㄷ과 삼각형 ㄹㅁㅂ이 서로 합동일 때 각의 크기 구하기

활동 1 서로 합동인 두 도형을 겹치지 않게 붙였을 때

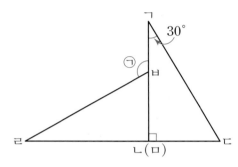

① 크기가 같은 각에 같은 색을 칠해 봅니다.

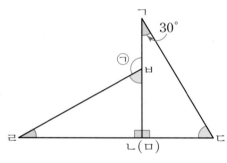

┌ (각 ㄹㅂㅁ)=(각 ㄱㄷㄴ)
├ (각 ㅂㅁㄹ)=(각 ㄷㄴㄱ)
└ (각 ㅁㄹㅂ)=(각 ㄴㄱㄷ)

② ㉠의 크기를 구해 봅니다.

(각 ㅁㄹㅂ)=(각 ㄴㄱㄷ)=30°,
(각 ㅂㅁㄹ)=(각 ㄷㄴㄱ)=90°
삼각형의 세 각의 크기의 합은 180°이므로
삼각형 ㄹㅂㅁ에서
(각 ㄹㅂㅁ)=180°-30°-90°=60°입니다.

⇨ ㉠=180°-(각 ㄹㅂㅁ)
   =180°-60°=120°

활동 2 서로 합동인 두 도형을 겹쳤을 때

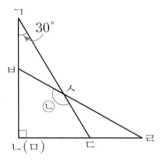

① 크기가 같은 각에 같은 색을 칠해 봅니다.

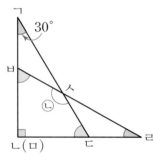

┌ (각 ㄴㄱㄷ)=(각 ㅁㄹㅂ)
├ (각 ㄱㄴㄷ)=(각 ㄹㅁㅂ)
└ (각 ㄱㄷㄴ)=(각 ㄹㅂㅁ)

② ㉡의 크기를 구해 봅니다.
삼각형의 세 각의 크기의 합은 180°이므로
삼각형 ㄱㄴㄷ에서
(각 ㄱㄷㄴ)=180°-30°-90°=60°이고
(각 ㄹㅂㅁ)=(각 ㄱㄷㄴ)=60°입니다.
사각형의 네 각의 크기의 합이 360°이므로
사각형 ㅂㄴㄷㅅ에서
㉡=360°-60°-90°-60°=150°입니다.

🐻 **해결 방법** 짚어 보기

• 서로 합동인 도형에서 대응각을 찾아 대응각의 크기는 같음을 이용하여 문제를 해결합니다.

해결 방법 확인

다음과 같이 서로 합동인 두 삼각형을 겹치지 않게 붙였을 때 ㉠의 크기는 몇 도인지 구하세요.

1-1 삼각형 ㄱㄴㄷ과 삼각형 ㄹㅁㄷ

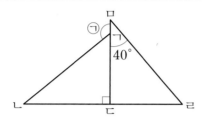

(각 ㄱㄴㄷ)=40°

(각 ㄴㄱㄷ)= [   ]°

➡ ㉠= [   ]°

1-2 삼각형 ㄱㄴㄷ과 삼각형 ㄷㄹㅁ

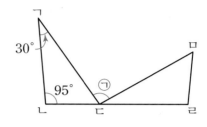

(각 ㄱㄷㄴ)= [   ]°

(각 ㅁㄷㄹ)= [   ]°

➡ ㉠= [   ]°

1-3 삼각형 ㄱㄴㄷ과 삼각형 ㄹㅁㄷ

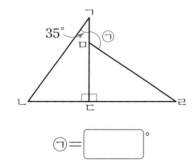

㉠= [   ]°

1-4 삼각형 ㄱㄴㄷ과 삼각형 ㄷㄹㅁ

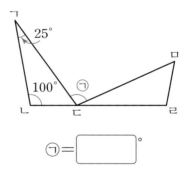

㉠= [   ]°

1-5 삼각형 ㄱㄴㄹ과 삼각형 ㄱㄷㄹ

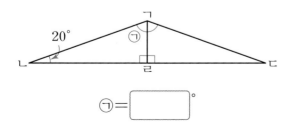

㉠= [   ]°

1-6 삼각형 ㄱㄴㄷ과 삼각형 ㄹㄷㅁ

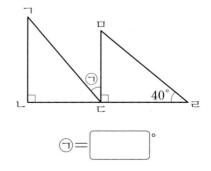

㉠= [   ]°

3^일 합동인 도형에서 각의 크기 구하기

(도형 집중 연습)

다음과 같이 서로 합동인 두 삼각형을 겹쳤을 때 □ 안에 알맞은 수를 써넣으세요.

1-1 삼각형 ㄱㄴㄷ과 삼각형 ㄹㄷㄴ

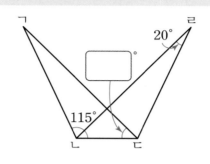

1-2 삼각형 ㄱㄴㄷ과 삼각형 ㄹㄴㅁ

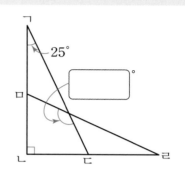

1-3 삼각형 ㄱㄴㄷ과 삼각형 ㄹㅁㄷ

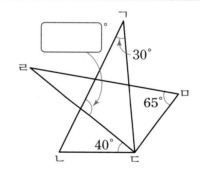

1-4 삼각형 ㄱㄴㄷ과 삼각형 ㄹㅁㄷ

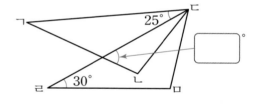

1-5 삼각형 ㄱㄴㄷ과 삼각형 ㄱㄹㅁ

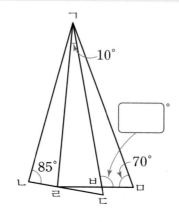

1-6 삼각형 ㄱㄴㄷ과 삼각형 ㄹㄴㅁ

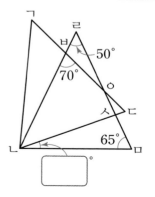

108 • 5단계

그림과 같이 종이를 접었을 때 ㉠의 크기는 몇 도인지 구하세요.

2-1 정사각형

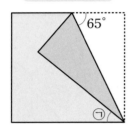

㉠ = [   ]°

2-2 정사각형

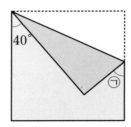

㉠ = [   ]°

2-3 직사각형

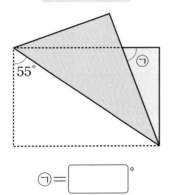

㉠ = [   ]°

2-4 직사각형

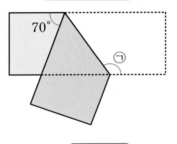

㉠ = [   ]°

2-5 삼각형

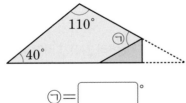

㉠ = [   ]°

2-6 이등변삼각형

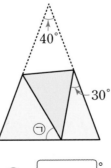

㉠ = [   ]°

3주 3일

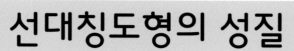

 오늘은 무엇을 공부할까요?

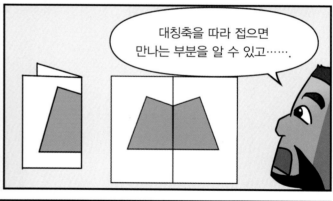

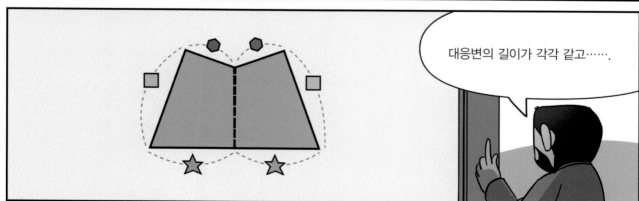

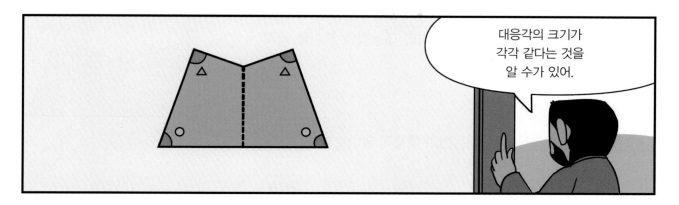

도형 기본 개념

● **선대칭도형의 성질**

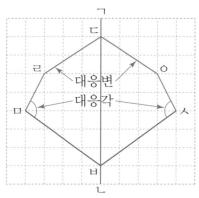

① 각각의 대응변의 길이가 서로 같습니다.

　예 변 ㄷㄹ과 변 ㄷㅇ,

　　변 ㄹㅁ과 변 **❶** [　　　],

　　변 ㅁㅂ과 변 **❷** [　　　]

② 각각의 대응각의 크기가 서로 같습니다.

　예 각 ㄷㄹㅁ과 각 **❸** [　　　], 각 ㄹㅁㅂ과 각 ㅇㅅㅂ

③ 대응점끼리 이은 선분은 대칭축과 수직으로 만납니다.

④ 대칭축은 대응점끼리 이은 선분을 둘로 똑같이 나누므로 각각의 대응점에서 대칭축까지의 거리가 서로 같습니다.

4일 선대칭도형의 성질

🐻 **활동**을 통하여 **개념**을 알아보아요.

○ 오른쪽 선대칭도형에서 대응변의 길이와 대응각의 크기를 각각 알아보기

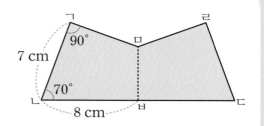

활동 1 선대칭도형을 접어 대응변과 대응각 알아보기

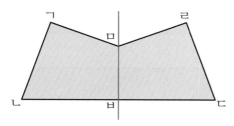

대칭축을 그려 봅니다.

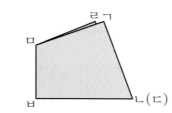

대칭축을 따라 접어 만나는 부분을 알아봅니다.

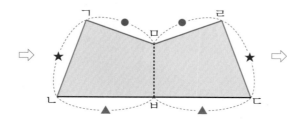

대응변을 찾아 같은 색으로 그어 봅니다.

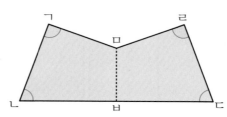

대응각을 찾아 같은 색으로 표시해 봅니다.

대응변의 길이와 대응각의 크기가 서로 같아요.

활동 2 대응변의 길이 구하기

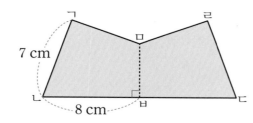

(변 ㄹㄷ)=(변 ㄱㄴ)=7 cm
(변 ㄷㅂ)=(변 ㄴㅂ)=8 cm

활동 3 대응각의 크기 구하기

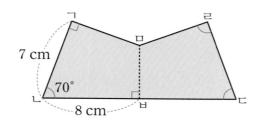

(각 ㄹㄷㅂ)=(각 ㄱㄴㅂ)=70°
(각 ㄷㄹㅁ)=(각 ㄴㄱㅁ)=90°

직선 ㄱㄴ을 대칭축으로 하는 선대칭도형입니다. ☐ 안에 알맞은 수를 써넣으세요.

1-1

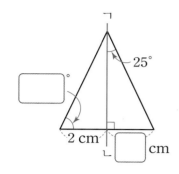

1-2

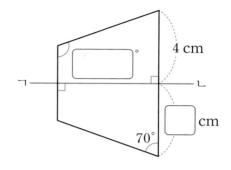

1-3

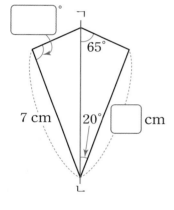

1-4

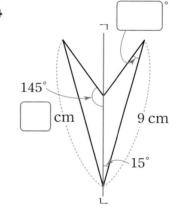

1-5

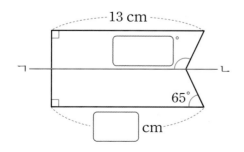

1-6

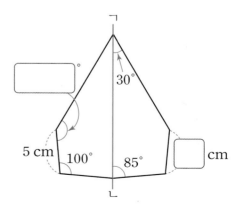

도형 집중 연습

직선 ㄱㄴ을 대칭축으로 하는 선대칭도형입니다. □ 안에 알맞은 수를 써넣으세요.

1-1

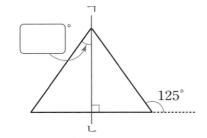

한 직선이 이루는
각의 크기는 $180°$예요.

1-2

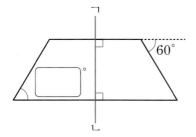

1-3

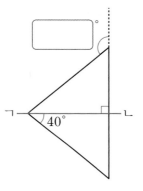

1-4

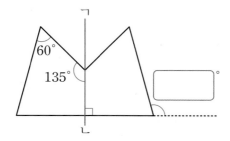

1-5

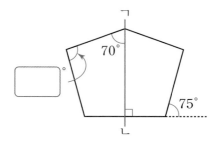

선대칭도형입니다. 도형의 둘레는 몇 cm인지 구하세요.

2-1

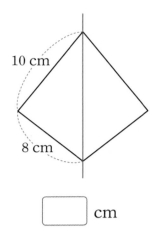

10 cm

8 cm

[ ] cm

2-2

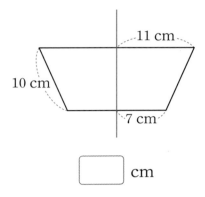

11 cm

10 cm

7 cm

[ ] cm

2-3

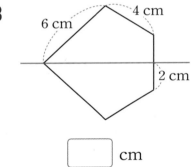

6 cm

4 cm

2 cm

[ ] cm

2-4

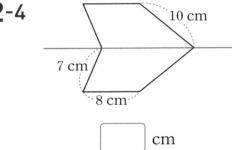

10 cm

7 cm

8 cm

[ ] cm

선대칭도형의 둘레가 다음과 같을 때 [ ] 안에 알맞은 수를 써넣으세요.

3-1

둘레: 38 cm

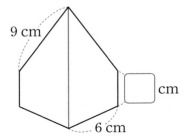

9 cm

6 cm

[ ] cm

3-2

둘레: 26 cm

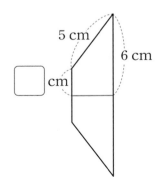

5 cm

6 cm

[ ] cm

점대칭도형의 성질

 오늘은 무엇을 공부할까요?

여기가 어디야?

인공지능 로봇 센터래.

어서 오렴.

얼른 로봇 보여주세요!

이 로봇은 점대칭도형의 성질을 찾는 로봇이란다.

점대칭도형의 대응변의 길이와 대응각의 크기를 알아내지.

먼저 대응변의 길이를 알아보려나 봐.

대응변을 같은 모양으로 표시하고 있어.

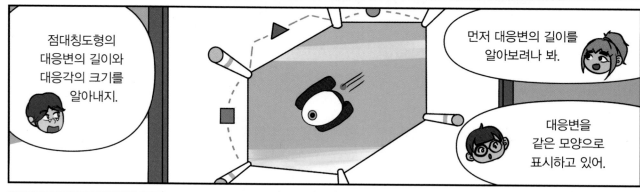

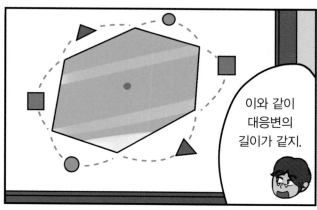

이와 같이 대응변의 길이가 같지.

오~. 이제는 대응각의 크기를 알아보려나 보다!

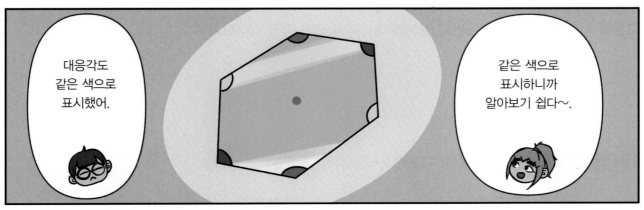

도형 기본 개념

● 점대칭도형의 성질

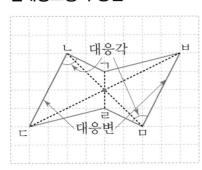

① 각각의 대응변의 길이가 서로 같습니다.

ᴇᴣ 변 ㄱㄴ과 변 ㄹㅁ,

변 ㄴㄷ과 변 **❶** [   ],

변 ㄷㄹ과 변 **❷** [   ]

② 각각의 대응각의 크기가 서로 같습니다.

ᴇᴣ 각 ㄱㄴㄷ과 각 **❸** [   ], 각 ㄴㄷㄹ과 각 ㅁㅂㄱ

③ 대칭의 중심은 대응점끼리 이은 선분을 둘로 똑같이 나누므로 각각의 대응점에서 대칭의 중심까지의 거리가 서로 같습니다.

5^일 점대칭도형의 성질

🐻 **활동**을 통하여 **개념**을 알아보아요.

○ 오른쪽 점대칭도형에서 대응변의 길이와 대응각의 크기 각각 알아보기

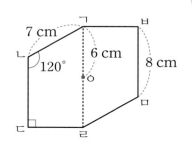

[활동 1] 점대칭도형을 돌려 보고 대응변과 대응각 알아보기

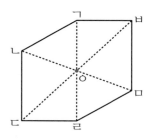

점 ㅇ을 중심으로 180° 돌립니다.

점 ㅇ을 중심으로 180° 돌렸을 때 만나는 부분을 알아봅니다.

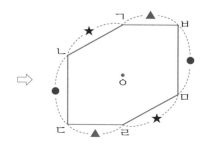

대응변을 찾아 같은 색 선으로 그어 봅니다.

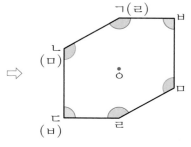

대응각을 찾아 같은 색으로 표시해 봅니다.

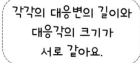
각각의 대응변의 길이와 대응각의 크기가 서로 같아요.

[활동 2] 대응변의 길이 구하기

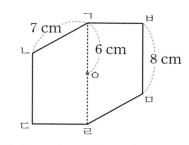

(변 ㄴㄷ)=(변 ㅁㅂ)=8 cm
(변 ㄹㅁ)=(변 ㄱㄴ)=7 cm

[활동 3] 대응각의 크기 구하기

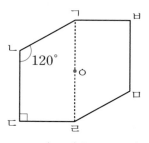

(각 ㄱㅂㅁ)=(각 ㄹㄷㄴ)=90°
(각 ㄹㅁㅂ)=(각 ㄱㄴㄷ)=120°

활동 개념 확인

🐸 점 ○을 대칭의 중심으로 하는 점대칭도형입니다. ☐ 안에 알맞은 수를 써넣으세요.

1-1

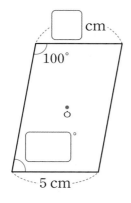

☐ cm

100°

☐ °

5 cm

1-2

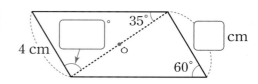

35°

☐ cm

4 cm

☐ °

60°

1-3

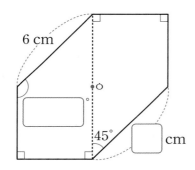

6 cm

☐ °

45°

☐ cm

1-4

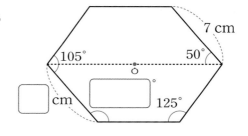

7 cm

105°　　50°

☐ cm

☐ °

125°

1-5

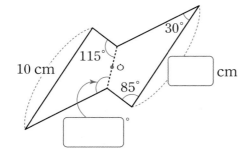

30°

115°

10 cm

☐ cm

85°

☐ °

1-6

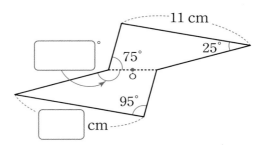

11 cm

☐ °

75°

25°

95°

☐ cm

도형 집중 연습

점 ○을 대칭의 중심으로 하는 점대칭도형입니다. ☐ 안에 알맞은 수를 써넣으세요.

1-1

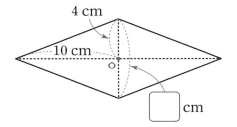

4 cm
10 cm
☐ cm

각각의 대응점에서
대칭의 중심까지의 거리가
같음을 이용해요.

1-2

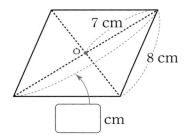

7 cm
8 cm
☐ cm

1-3

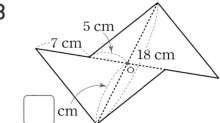

5 cm
7 cm
18 cm
☐ cm

1-4

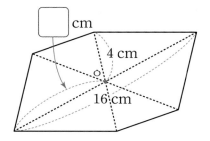

☐ cm
4 cm
16 cm

1-5

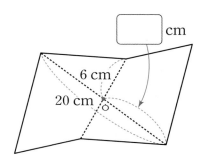

☐ cm
6 cm
20 cm

점 ○을 대칭의 중심으로 하는 점대칭도형입니다. 이 도형의 둘레는 몇 cm인지 구하세요.

2-1

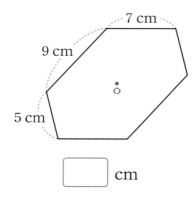

7 cm
9 cm
5 cm

[ ] cm

2-2

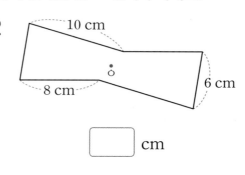

10 cm
8 cm
6 cm

[ ] cm

2-3

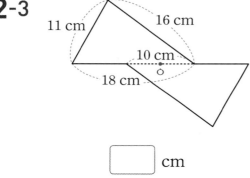

11 cm
16 cm
10 cm
18 cm

[ ] cm

㉠ cm
㉠ cm

㉠ cm의 길이를 알면
둘레를 구할 수 있어요.

2-4

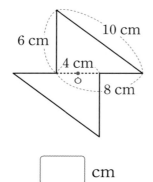

6 cm
10 cm
4 cm
8 cm

[ ] cm

2-5

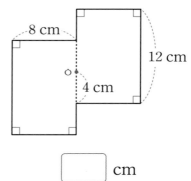

8 cm
12 cm
4 cm

[ ] cm

01 선대칭도형이 되도록 그림을 완성하세요.

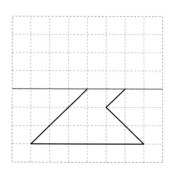

02 점 ㅇ을 대칭의 중심으로 하는 점대칭도형을 완성하세요.

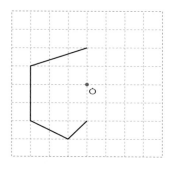

03 직선 ㄱㄴ을 대칭축으로 하는 선대칭도형을 완성하고, 완성한 선대칭도형의 넓이는 몇 cm^2 인지 구하세요.

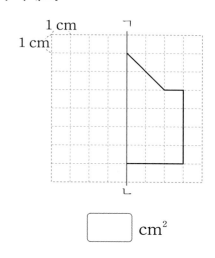

cm²

04 점 ㅇ을 대칭의 중심으로 하는 점대칭도형을 완성하고, 완성한 점대칭도형의 넓이는 몇 cm^2 인지 구하세요.

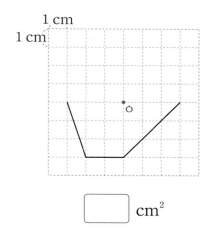

cm²

05 삼각형 ㄱㄴㄷ과 삼각형 ㄹㅁㄷ이 서로 합동일 때 ㉠의 크기는 몇 도인지 구하세요.

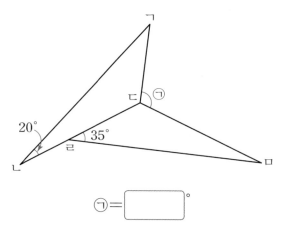

㉠= [ ]°

06 점 ㅇ을 대칭의 중심으로 하는 점대칭도형입니다. 이 도형의 둘레는 몇 cm인지 구하세요.

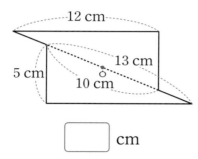

☐ cm

07 선대칭도형의 둘레가 44 cm일 때 ☐ 안에 알맞은 수를 써넣으세요.

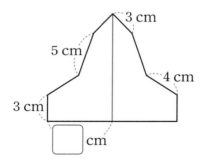

☐ cm

08 삼각형 ㄱㄴㄷ과 삼각형 ㄴㄹㅁ이 서로 합동일 때 ☐ 안에 알맞은 수를 써넣으세요.

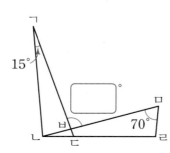

09 직선 ㄱㄴ을 대칭축으로 하는 선대칭도형입니다. ☐ 안에 알맞은 수를 써넣으세요.

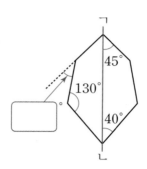

10 점 ㅇ을 대칭의 중심으로 하는 점대칭도형입니다. ☐ 안에 알맞은 수를 써넣으세요.

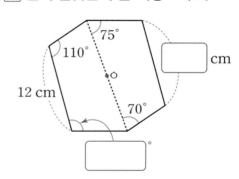

3주

평가

서로 합동인 삼각형 그리기

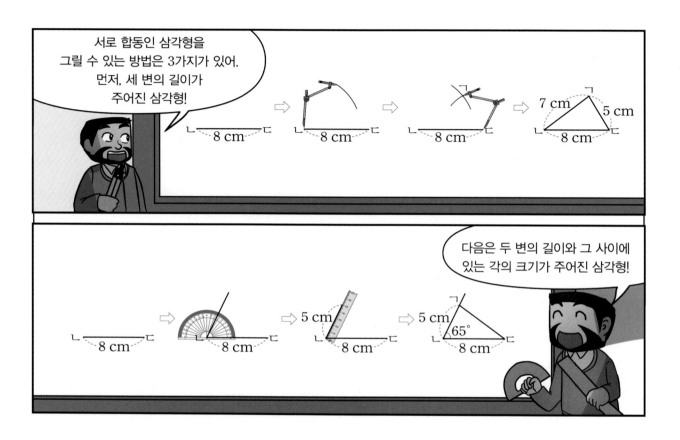

● **서로 합동인 삼각형을 그릴 수 있는 경우**

① 세 변의 길이가 주어진 삼각형

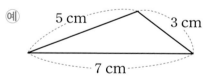

② 두 변의 길이와 그 사이에 있는 각의 크기가 주어진 삼각형

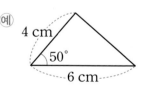

③ 한 변의 길이와 그 양 끝각의 크기가 주어진 삼각형

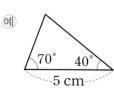

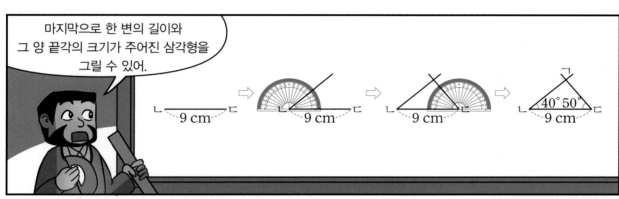

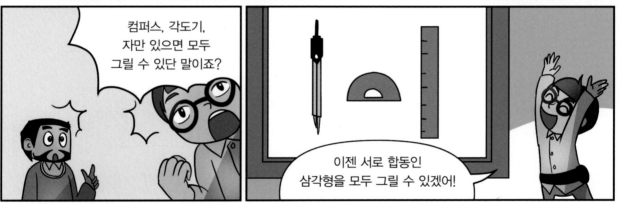

● **서로 합동인 삼각형을 그릴 수 없는 경우**

① 세 변의 길이가 주어졌을 때 가장 긴 변의 길이가 나머지 두 변의 길이의 합보다 긴 삼각형

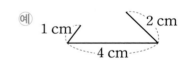

② 두 변의 길이와 그 사이에 있는 각이 아닌 다른 한 각의 크기가 주어진 삼각형

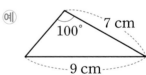

③ 한 변의 길이와 그 양 끝각의 크기가 주어졌을 때 두 각의 크기의 합이 180° 와 같거나 큰 삼각형

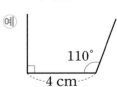

④ 세 각의 크기가 주어진 삼각형
  예 세 각의 크기가 30°, 60°, 90°인 삼각형

1 보기 와 같이 자와 컴퍼스를 사용하여 왼쪽 삼각형과 서로 합동인 삼각형을 그려 보세요.

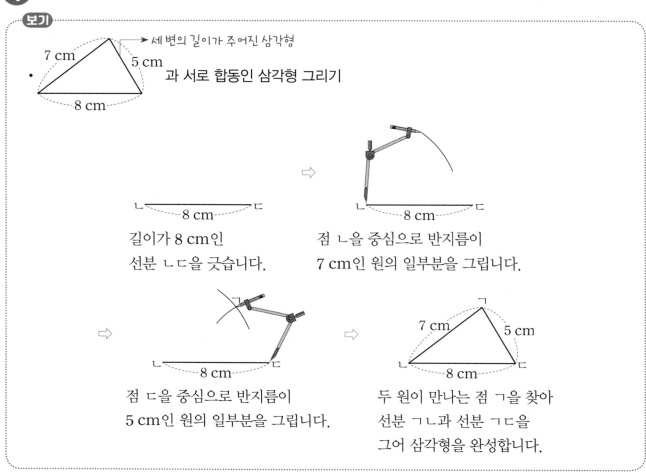

보기

세 변의 길이가 주어진 삼각형
7 cm 5 cm
8 cm
과 서로 합동인 삼각형 그리기

ㄴ━━ 8 cm ━━ㄷ
길이가 8 cm인
선분 ㄴㄷ을 긋습니다.

⇨

ㄴ━━ 8 cm ━━ㄷ
점 ㄴ을 중심으로 반지름이
7 cm인 원의 일부분을 그립니다.

⇨

ㄴ━━ 8 cm ━━ㄷ
점 ㄷ을 중심으로 반지름이
5 cm인 원의 일부분을 그립니다.

⇨

ㄱ
7 cm 5 cm
ㄴ━━ 8 cm ━━ㄷ
두 원이 만나는 점 ㄱ을 찾아
선분 ㄱㄴ과 선분 ㄱㄷ을
그어 삼각형을 완성합니다.

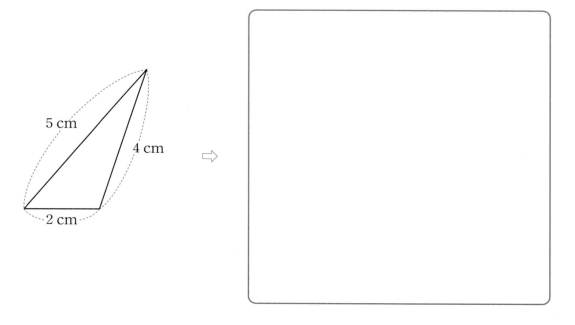

5 cm 4 cm
2 cm ⇨

다음과 같이 삼각형의 세 변의 길이가 주어졌을 때 삼각형을 만들 수 없습니다. 삼각형의 세 변의 길이가 될 수 있는 것은 ○표, 될 수 <u>없는</u> 것은 ✕표 하세요.

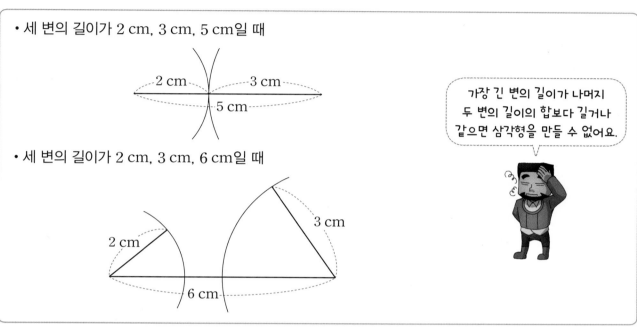

- 세 변의 길이가 2 cm, 3 cm, 5 cm일 때

- 세 변의 길이가 2 cm, 3 cm, 6 cm일 때

가장 긴 변의 길이가 나머지 두 변의 길이의 합보다 길거나 같으면 삼각형을 만들 수 없어요.

❷   2 cm, 4 cm, 8 cm

(   )

❸   4 cm, 5 cm, 7 cm

(   )

❹   2 cm, 10 cm, 12 cm

(   )

❺   3 cm, 4 cm, 6 cm

(   )

3주

특강

6 보기와 같이 자와 각도기를 사용하여 왼쪽 삼각형과 서로 합동인 삼각형을 그려 보세요.

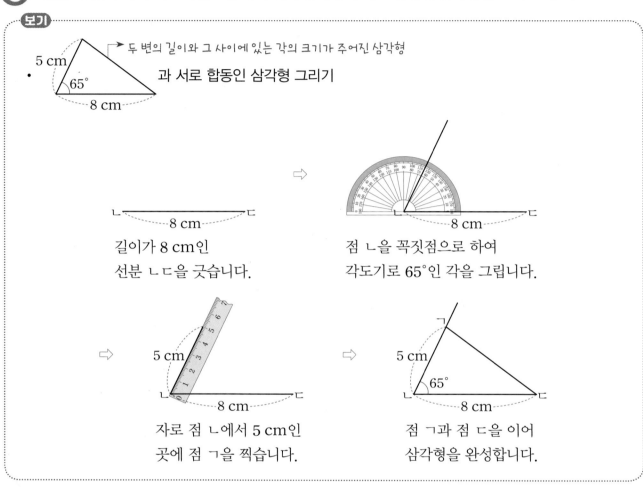

보기

• 두 변의 길이와 그 사이에 있는 각의 크기가 주어진 삼각형과 서로 합동인 삼각형 그리기

길이가 8 cm인 선분 ㄴㄷ을 긋습니다.

점 ㄴ을 꼭짓점으로 하여 각도기로 65°인 각을 그립니다.

자로 점 ㄴ에서 5 cm인 곳에 점 ㄱ을 찍습니다.

점 ㄱ과 점 ㄷ을 이어 삼각형을 완성합니다.

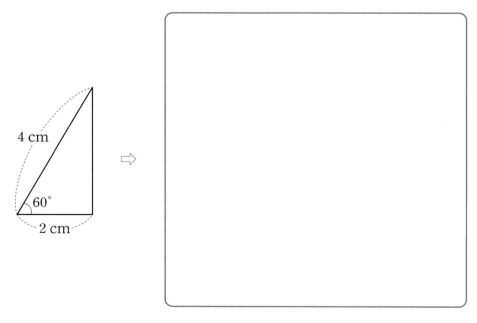

7 보기 와 같이 자와 각도기를 사용하여 왼쪽 삼각형과 서로 합동인 삼각형을 그려 보세요.

보기

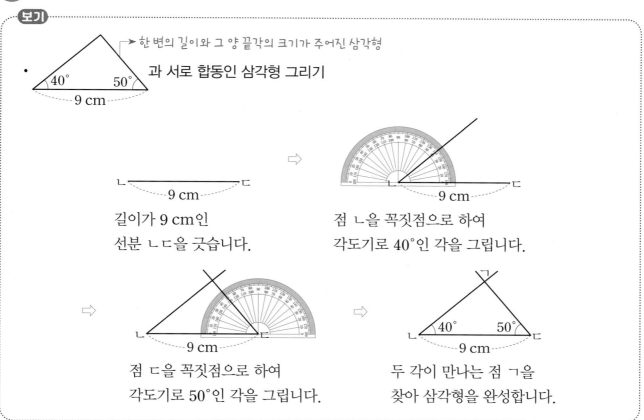

→ 한 변의 길이와 그 양 끝각의 크기가 주어진 삼각형
과 서로 합동인 삼각형 그리기

길이가 9 cm인
선분 ㄴㄷ을 긋습니다.

점 ㄴ을 꼭짓점으로 하여
각도기로 40°인 각을 그립니다.

점 ㄷ을 꼭짓점으로 하여
각도기로 50°인 각을 그립니다.

두 각이 만나는 점 ㄱ을
찾아 삼각형을 완성합니다.

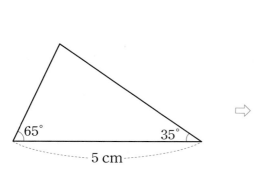

이번 주에는 무엇을 공부할까요? ①

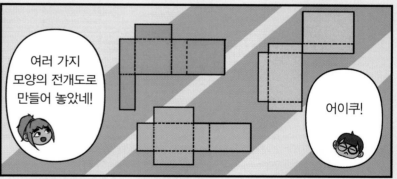

이번 주에는 무엇을 공부할까요? ❷

✳ **직육면체, 정육면체**

🐻 그림을 보고 주어진 도형을 모두 찾아 ◯표 하세요.

1-1 직육면체

 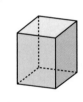 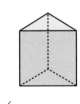 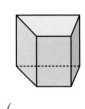 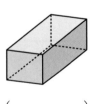

(   ) (   ) (   ) (   ) (   )

1-2 직육면체

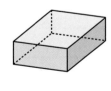   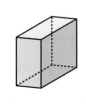 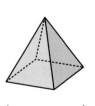

(   ) (   ) (   ) (   ) (   )

1-3 정육면체

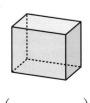 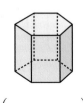

(   ) (   ) (   ) (   ) (   )

✳ 직육면체의 성질

🐻 직육면체에서 색칠한 면과 평행한 면을 찾아 색칠하세요.

2-1

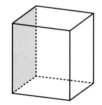

2-2

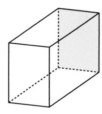

2-3

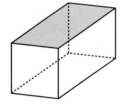

2-4

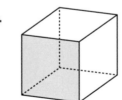

🐻 직육면체에서 색칠한 면과 수직인 면을 하나만 찾아 색칠하세요.

3-1

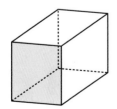

3-2

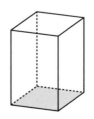

직육면체의 겨냥도

 오늘은 무엇을 공부할까요?

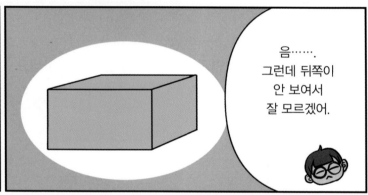

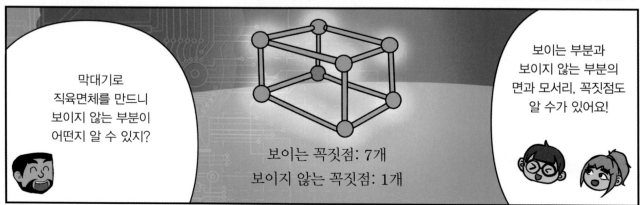

보이는 꼭짓점: 7개

보이지 않는 꼭짓점: 1개

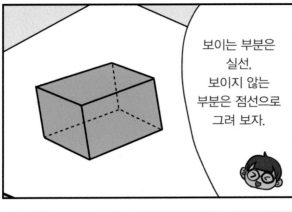

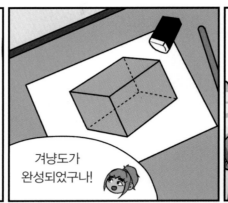

도형 기본 개념

● 직육면체의 겨냥도

오른쪽과 같이 직육면체 모양을 잘 알 수 있도록 나타낸 그림

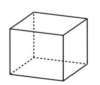

● 직육면체의 겨냥도에서 보이는 부분과 보이지 않는 부분 알아보기

구분	보이는 부분	보이지 않는 부분	전체
면의 수(개)	3	❶	6
모서리의 수(개)	9(실선)	3(점선)	12
꼭짓점의 수(개)	❷	1	8

정답 ❶ 3 ❷ 7

🐻 **활동**을 통하여 **개념**을 알아보아요.

○ 직육면체의 겨냥도 그리는 방법 알아보기

[활동] 직육면체에서 보이는 모서리는 실선으로, 보이지 않는 모서리는 점선으로 그리기

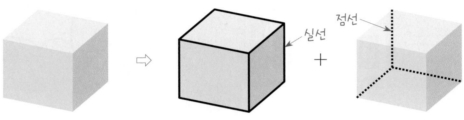

〈직육면체〉 → 보이는 모서리 9개는 실선으로 그립니다. + 보이지 않는 모서리 3개는 점선으로 그립니다.

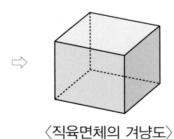

〈직육면체의 겨냥도〉

서로 평행한 모서리는 평행하게 그려요.

🐻 **개념** 짚어 보기

• 직육면체에서 서로 평행한 모서리의 길이는 각각 같습니다.

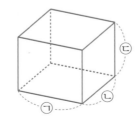

보이는 모서리의 길이는
(㉠＋㉡＋㉢)×3,
보이지 않는 모서리의 길이는
㉠＋㉡＋㉢이에요.

활동 개념 확인

🐢 그림에서 빠진 부분을 그려 넣어 직육면체의 겨냥도를 완성하세요.

1-1

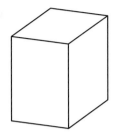

1-2

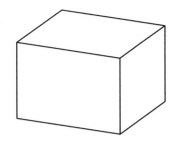

1-3

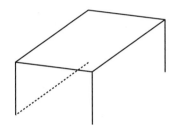

겨냥도에서 보이는 모서리는 실선으로, 보이지 않는 모서리는 점선으로 그려요.

1-4

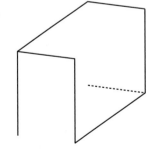

1-5

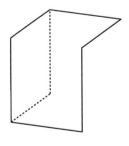

1-6

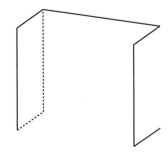

1-7

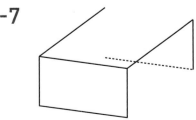

1^일 직육면체의 겨냥도

도형 집중 연습

보기와 같이 직육면체에서 보이지 않는 모서리의 길이의 합은 몇 cm인지 구하세요.

보기

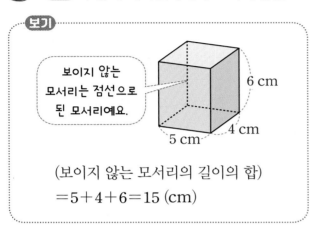

보이지 않는 모서리는 점선으로 된 모서리예요.

(보이지 않는 모서리의 길이의 합)
=5+4+6=15 (cm)

1-1

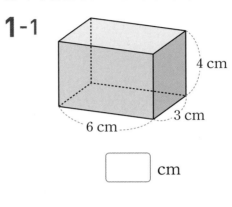

☐ cm

1-2

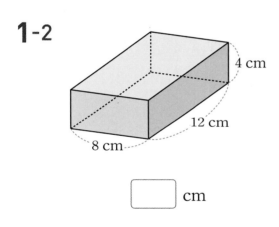

☐ cm

1-3

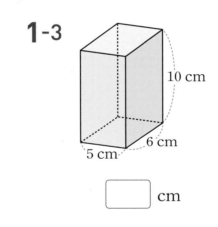

☐ cm

1-4

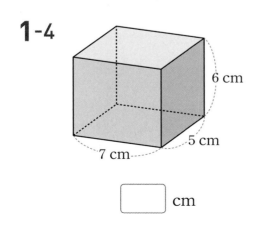

☐ cm

1-5

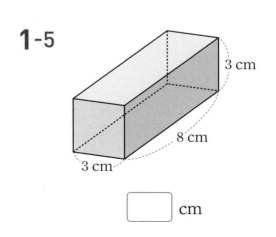

☐ cm

🐢 보기와 같이 직육면체에서 보이지 않는 모서리의 길이의 합을 알 때, ☐ 안에 알맞은 수를 써넣으세요.

보기
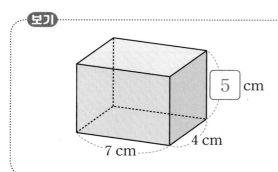

보이지 않는 모서리의 길이의 합: 16 cm

7＋4＋☐＝16이므로 ☐＝5입니다.

2-1

보이지 않는 모서리의
길이의 합: 12 cm

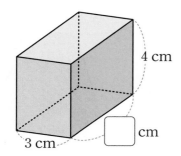

2-2

보이지 않는 모서리의
길이의 합: 14 cm

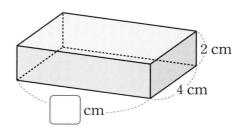

2-3

보이지 않는 모서리의
길이의 합: 11 cm

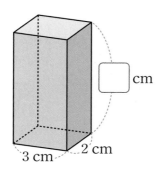

2-4

보이지 않는 모서리의
길이의 합: 16 cm

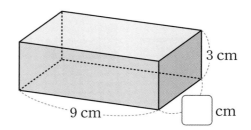

🐻 오늘은 무엇을 공부할까요?

도형 기본 개념

● **정육면체의** 전개도: 정육면체의 ❶ [   ]를 잘라서 펼친 그림

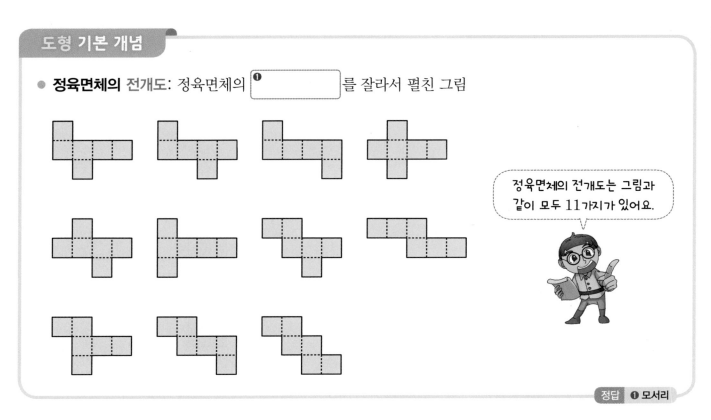

정육면체의 전개도는 그림과 같이 모두 11가지가 있어요.

2^일 정육면체의 전개도

 활동을 통하여 **개념**을 알아보아요.

○ 마주 보는 면이 같은 색인 정육면체의 모서리를 잘라서 정육면체 전개도 만들기

활동 **1** 정육면체의 모서리를 잘라서 전개도 만들기 (1)

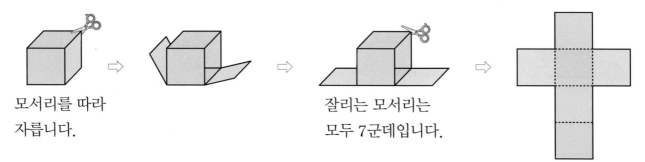

모서리를 따라
자릅니다.

잘리는 모서리는
모두 7군데입니다.

〈정육면체의 전개도〉
같은 색으로 색칠한 면은
서로 평행한 면입니다.

활동 **2** 정육면체의 모서리를 잘라서 전개도 만들기 (2)

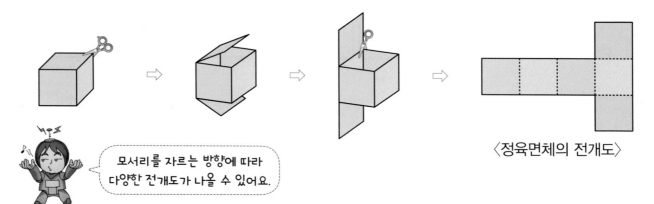

〈정육면체의 전개도〉

모서리를 자르는 방향에 따라
다양한 전개도가 나올 수 있어요.

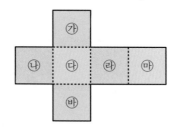

개념 짚어 보기

• 서로 평행한 면 알아보기

• 면 ㉮와 수직인 면 알아보기

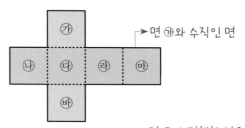

⇨ 면 ㉮와 면 ㉯, 면 ㉰와 면 ㉱, 면 ㉲와 면 ㉳

⇨ 면 ㉯, 면 ㉰, 면 ㉱, 면 ㉳

(활동 개념 확인)

🍯 전개도를 접어서 정육면체를 만들었을 때, 서로 평행한 면에 같은 모양을 그려 넣으세요.

1-1

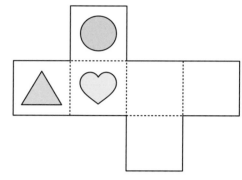

1-2

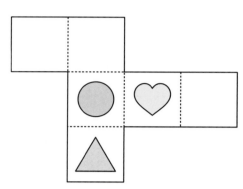

⭕, △, ♡가 그려진 면과
평행한 면을 각각 찾아보세요.

1-3

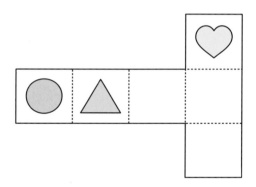

1-4

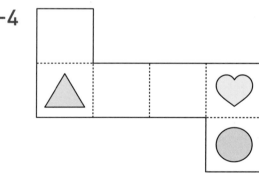

1-5

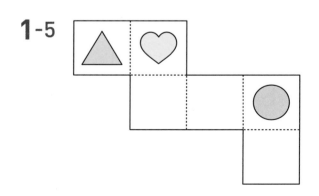

1-6

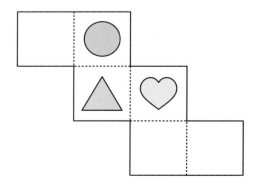

도형 집중 연습

🍮 전개도를 접어 만든 정육면체를 찾아 ○표 하세요.

1-1

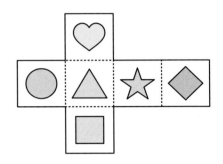

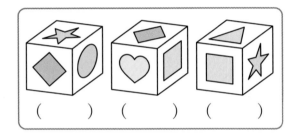

1-2

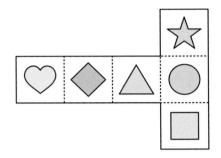

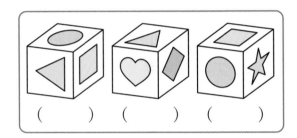

1-3

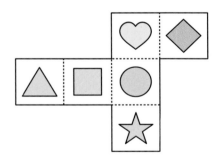

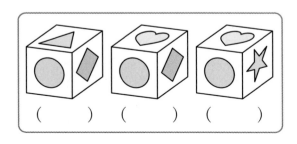

1-4

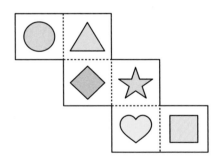

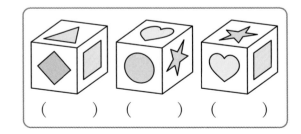

각 면에 빨강, 분홍, 노랑, 초록, 파랑, 보라가 칠해진 정육면체를 세 방향에서 본 것입니다. 전개도의
빈 곳에 알맞게 색칠하세요.

2-1

2-2

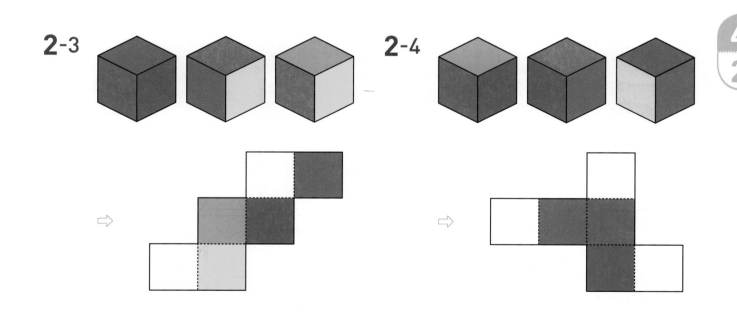

2-3

2-4

🐻 오늘은 무엇을 공부할까요?

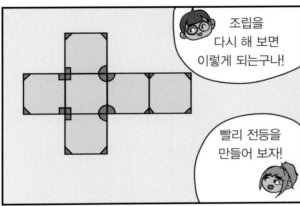

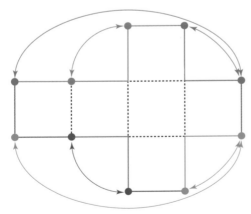

도형 기본 개념

● **직육면체의 전개도를 접었을 때 만나는 점, 선분 알아보기**

> 직육면체의 전개도를 접었을 때 만나는 점을 알면 만나는 선분을 쉽게 알 수 있어요.

① 직육면체의 전개도를 접었을 때 서로 만나는 모서리의 길이가 같습니다.

② 같은 색 점끼리 만나고, 같은 색 선분끼리 겹칩니다.

3^일 전개도를 접었을 때 만나는 점, 선분

 활동을 통하여 **개념**을 알아보아요.

● 전개도를 접었을 때 표시된 점, 선분과 만나는 점, 선분을 각각 알아보기

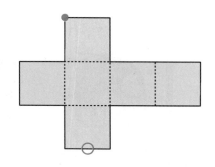

직육면체의 전개도를
접은 모양을 상상해 보세요.

활동 **1** 전개도를 접었을 때 표시된 점과 만나는 점을 모두 찾아 ●로 표시하기

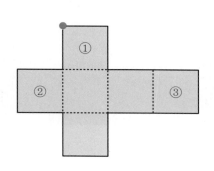

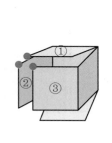

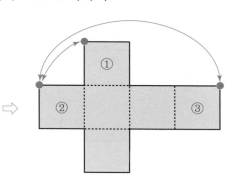

활동 **2** 전개도를 접었을 때 표시된 선분과 만나는 선분을 찾아 ○로 표시하기

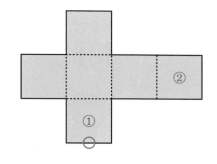

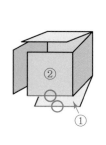

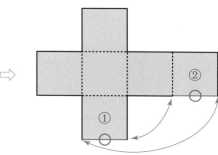

선분의 양 끝점과 만나는 점을 찾으면
만나는 선분을 찾을 수 있어요.

활동 개념 확인

전개도를 접어서 직육면체를 만들었을 때, 점 ㉠과 만나는 점에 모두 ✕표 하세요.

1-1

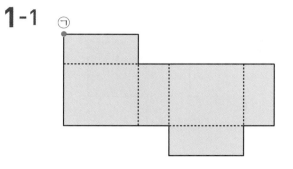

1-2

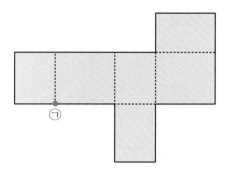

1-3

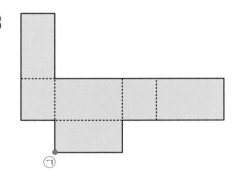

1-4

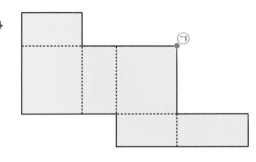

1-5

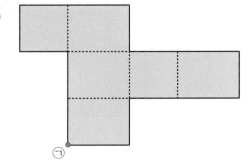

1-6

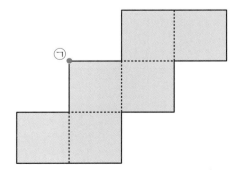

4주

3일

도형 집중 연습

전개도를 접어서 직육면체를 만들었을 때, 표시된 선분과 만나는 선분에 ◯표 하세요.

1-1

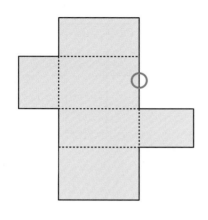

1-2

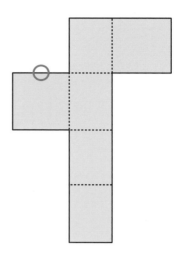

1-3

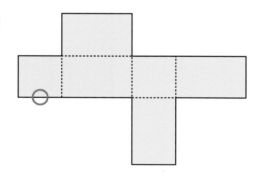

1-4

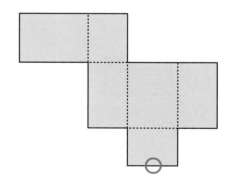

1-5

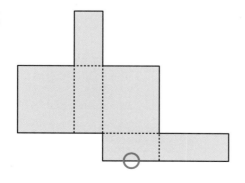

1-6

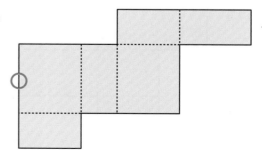

직육면체의 모서리를 잘라서 직육면체의 전개도를 만들었습니다. □ 안에 알맞은 기호를 써넣으세요.

2-1

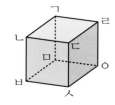

2-2

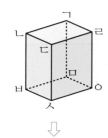

2-3

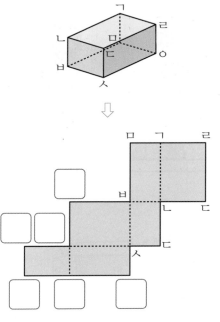

2-4

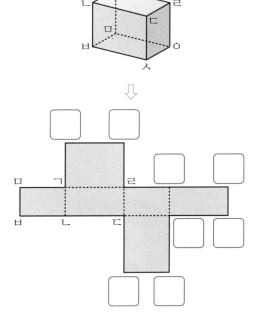

4일 직육면체의 전개도 그리기

 오늘은 무엇을 공부할까요?

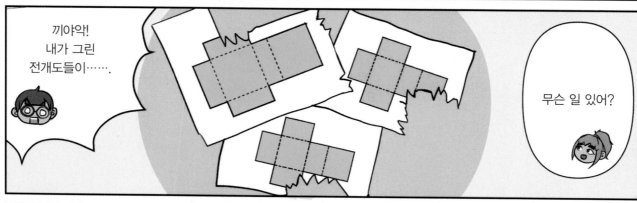

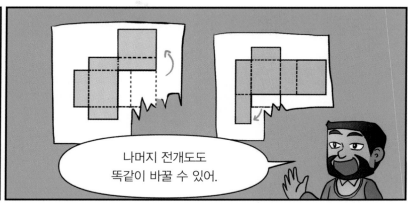

찢어진 면을 화살표 방향으로
움직이면 똑같은 직육면체가 된단다.

나머지 전개도도
똑같이 바꿀 수 있어.

휴~. 정말 다행이야.

릴리야, 잘 됐다!
바꿀 수 있대!

앗! 릴리야,
내려줘!

릴리가
기분이
좋아졌구나!

도형 기본 개념

● **직육면체의 전개도 그리기**

① 잘린 모서리는 ❶ [　　　]으로, 잘리지 않는 모서리는 ❷ [　　　]으로 그립니다.

② 접었을 때 서로 마주 보는 면은 모양과 크기가 같게 그립니다.

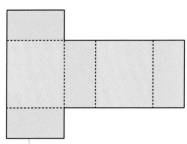

전개도를 그리고 난 후
모양과 크기가 같은 면이 3쌍인지,
접었을 때 겹치는 면은 없는지
확인해요.

↳ 같은 색으로 색칠한 면은
　모양과 크기를 같게 그립니다.

정답 ❶ 실선 ❷ 점선

4^일 직육면체의 전개도 그리기

활동을 통하여 **개념**을 알아보아요.

○ 전개도의 면을 움직여서 여러 가지 모양으로 직육면체의 전개도 그리기

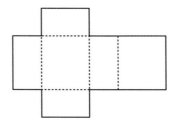

[활동 1] 주황색 면을 잘라 화살표 방향으로 움직여서 직육면체의 전개도 그리기

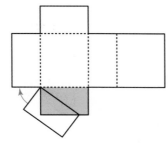 ⇨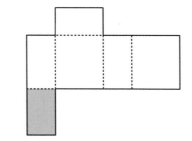

주황색 면을 잘라서 화살표
방향으로 움직입니다.

움직인 면을 그려 전개도를
완성합니다.

[활동 2] 초록색 면을 잘라 화살표 방향으로 움직여서 직육면체의 전개도 그리기

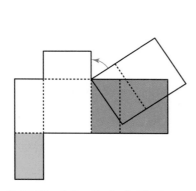 ⇨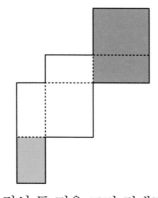

초록색 면을 잘라서 화살표
방향으로 움직입니다.

움직인 두 면을 그려 전개도를
완성합니다.

전개도 면을 만나는
선분에 닿게 이동하면
전개도 모양은 변하지만
접었을 때 같은 직육면체가
돼요.

활동 개념 확인

🥚 색칠한 면을 화살표 방향으로 움직였습니다. 움직인 면을 그려 직육면체의 전개도를 완성하세요.

1-1

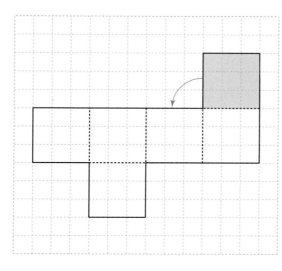 ⇨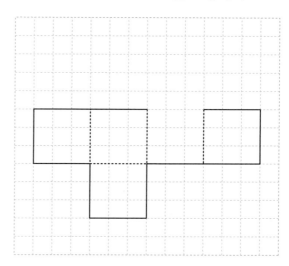

1-2

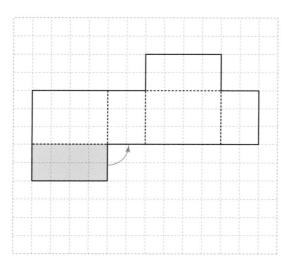 ⇨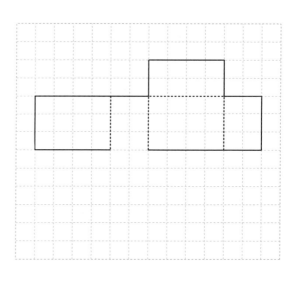

1-3

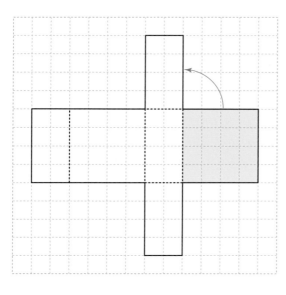 ⇨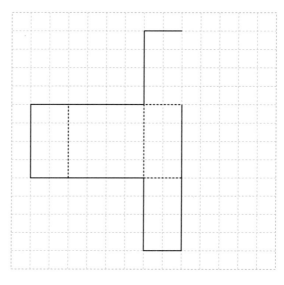

도형 집중 연습

보기와 같이 색칠한 두 면을 화살표 방향으로 움직였습니다. 움직인 면을 그려 직육면체의 전개도를 완성하세요.

보기

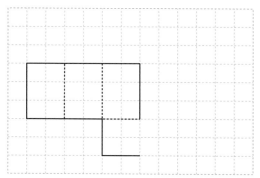

1-1

1-2

1-3

직육면체의 전개도를 그리려고 합니다. 한 면을 더 그려 직육면체의 전개도를 완성하세요.

2-1

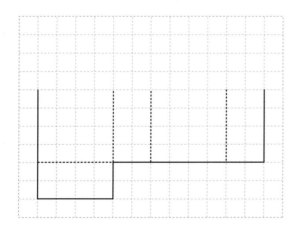

그리려고 하는 면의 평행한 면을 찾아 모양과 크기가 같게 그려요.

2-2

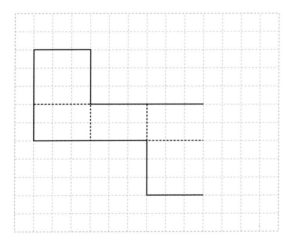

2-3

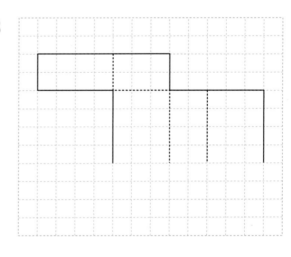

2-4

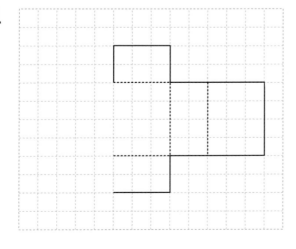

2-5

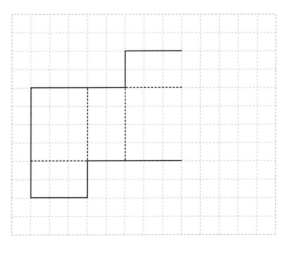

전개도에 알맞게 그려 넣기

오늘은 무엇을 공부할까요?

도형 기본 개념

● 전개도에 색 테이프를 붙인 자리 그려 넣기

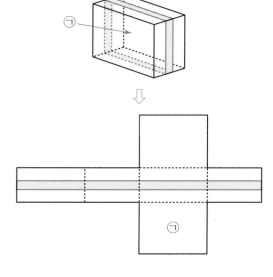

면 ㉠과 수직인 면에
색 테이프를 붙인 자리를
그려 넣어요.

 활동을 통하여 **해결 방법**을 알아보아요.

○ 색 테이프를 붙인 직육면체 모양의 상자를 보고 전개도에 색 테이프를 붙인 자리 그려 넣기

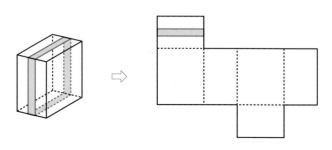

색 테이프가 하나로
이어지도록 선을 그어요.

방법 1 접었을 때 서로 만나는 선분을 찾아 색 테이프를 붙인 자리 그려 넣기

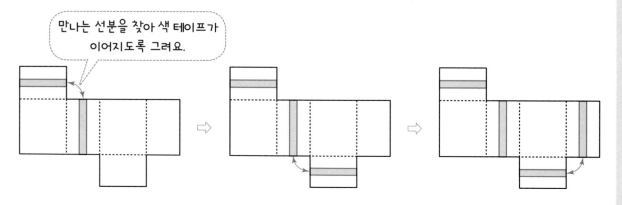

만나는 선분을 찾아 색 테이프가
이어지도록 그려요.

방법 2 접었을 때 면 ㉠과 수직인 면과 평행한 면을 각각 찾아 색 테이프를 붙인 자리 그려 넣기

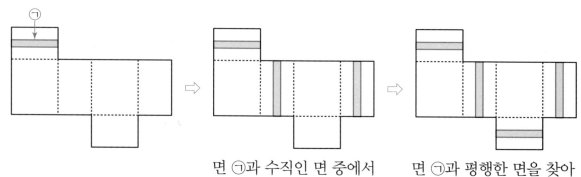

면 ㉠과 수직인 면 중에서
색 테이프가 이어지도록
그립니다.

면 ㉠과 평행한 면을 찾아
색 테이프가 이어지도록
그립니다.

해결 방법 확인

🥚 직육면체 모양의 상자에 그림과 같이 색 테이프를 붙였습니다. 전개도에 색 테이프를 붙인 자리를 그려 넣으세요.

1-1

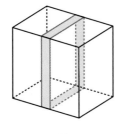

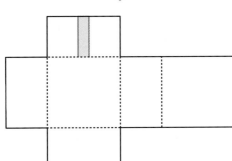

1-2

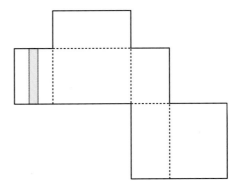

1-3

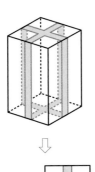

1-4

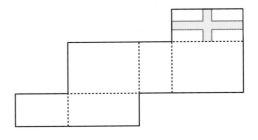

도형 집중 연습

🐢 뚜껑이 없는 정육면체 모양의 상자의 옆면에 똑같은 무늬가 있습니다. 전개도에 무늬를 그려 넣으세요.

1-1

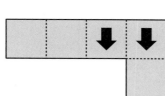

1-2

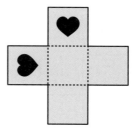

1-3

1-4

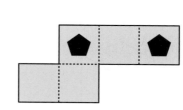

1-5

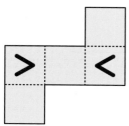

1-6

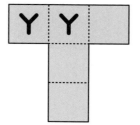

직육면체 모양의 상자에 그림과 같이 선을 그었습니다. 전개도에 선이 지나간 자리를 그려 넣으세요.

2-1

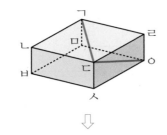

2-2

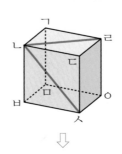

2-3

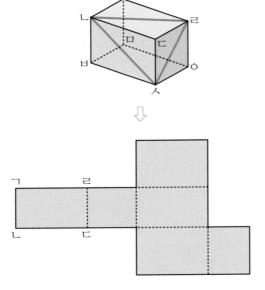

2-4

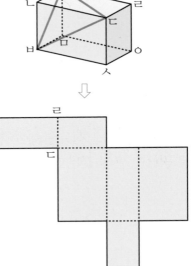

01 그림에서 빠진 부분을 그려 넣어 직육면체의 겨냥도를 완성하세요.

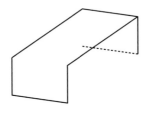

02 직육면체에서 보이지 않는 모서리의 길이의 합은 몇 cm인지 구하세요.

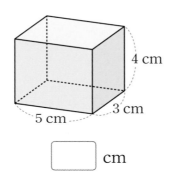

4 cm

3 cm

5 cm

[ ] cm

03 전개도를 접어서 정육면체를 만들었을 때, 서로 평행한 면에 같은 모양을 그려 넣으세요.

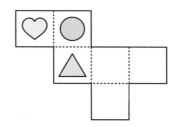

04 전개도를 접어서 직육면체를 만들었을 때, 점 ㉠과 만나는 점에 모두 ✕표 하세요.

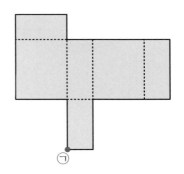

㉠

05 전개도를 접어서 직육면체를 만들었을 때, 표시된 선분과 만나는 선분에 ◯표 하세요.

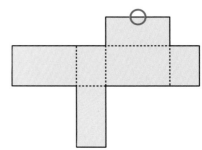

06 뚜껑이 없는 정육면체 모양의 상자의 옆면에 똑같은 무늬가 있습니다. 전개도에 무늬를 그려 넣으세요.

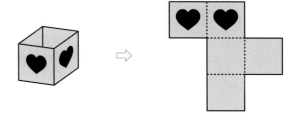

07 색칠한 두 면을 화살표 방향으로 움직였습니다. 움직인 면을 그려 직육면체의 전개도를 완성하세요.

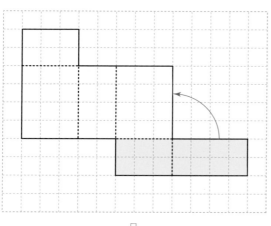

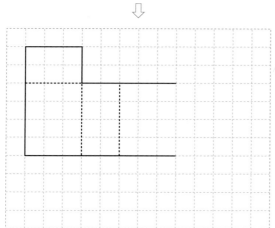

08 직육면체의 전개도를 그리려고 합니다. 한 면을 더 그려 직육면체의 전개도를 완성하세요.

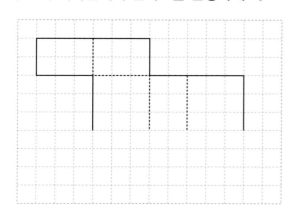

09 전개도를 접어 만든 정육면체를 찾아 ◯표 하세요.

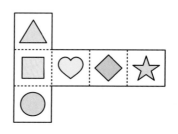

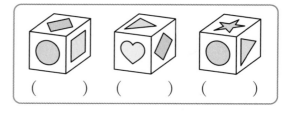

10 직육면체 모양의 상자에 그림과 같이 선을 그었습니다. 전개도에 선이 지나간 자리를 그려 넣으세요.

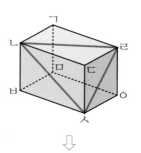

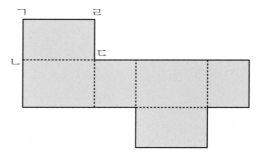

4주
평가

특강 · 창의 · 융합 · 코딩

정육면체 돌리기

● 한쪽 면에 사각형이 그려진 정육면체를 순서대로 화살표 방향으로 한 면씩 돌려 보기

(1)

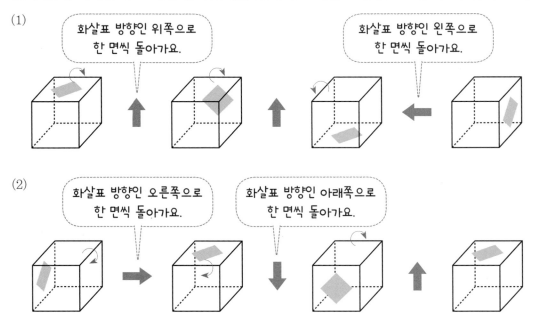

(2)

주사위 굴리기

● 서로 마주 보는 두 면의 눈의 수의 합이 7인 주사위의 평행한 면 알아보기

예) ⬛(•) 과 평행한 면: ⬛(⁙) (7−1=6)

● 서로 마주 보는 두 면의 눈의 수의 합이 7인 주사위를 굴려서 각 칸에 닿는 면의 눈의 수 알아보기

주사위가 한 방향으로 4번 굴러가면 처음 주사위와 위치가 같아요.

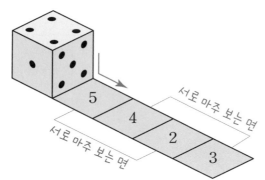

특강 창의·융합·코딩

 창의

한쪽 면에 하트가 그려진 정육면체가 있습니다. **보기** 와 같이 정육면체를 순서대로 화살표 방향으로 한 면씩 돌렸을 때, 하트가 그려진 면을 찾아 색칠하세요.

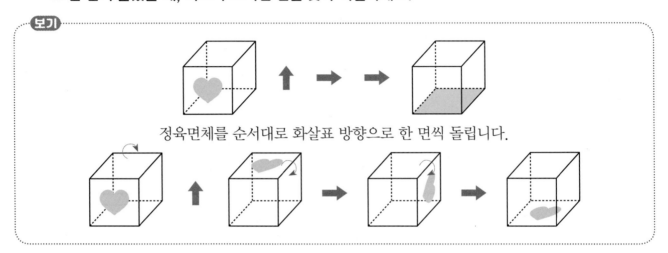

정육면체를 순서대로 화살표 방향으로 한 면씩 돌립니다.

①

②

③

정육면체를 순서대로 화살표 방향으로 한 면씩 돌려 보세요.

한쪽 면에 꽃이 그려진 정육면체가 있습니다. 정육면체를 순서대로 화살표 방향으로 한 면씩 돌렸을 때, 꽃이 그려진 면을 찾아 색칠하세요.

④

⑤

4주

특강

⑥

⑦

융합

규칙 에 따라 주사위를 굴려서 각 칸에 닿는 면의 눈의 수를 써넣으세요. 활동지

규칙

① 주사위의 서로 마주 보는 두 면의 눈의 수의 합은 7입니다.

② 주사위를 그림과 같이 한 칸씩 굴립니다.

③ 길 한 칸에는 주사위의 한 면이 들어갑니다.

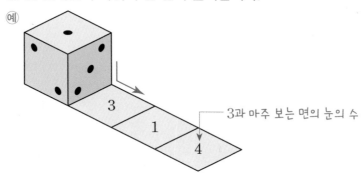

⑧

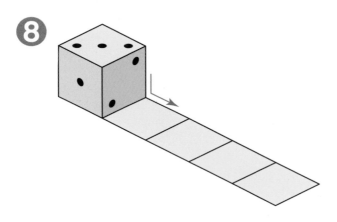

⑨

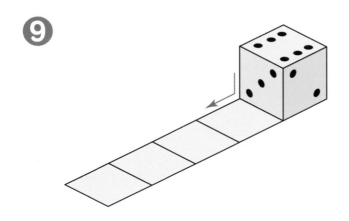

주사위 면의 눈의 수 2, 5는
바닥에 닿지 않아요.

⑩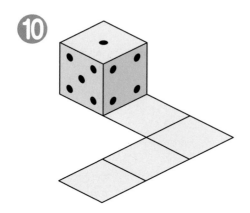

주사위를 직접 만들어
돌려 보세요.

⑪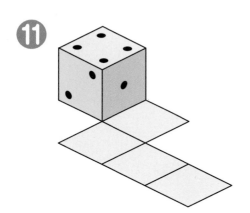

⑫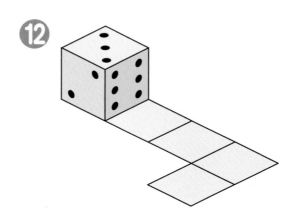

⑬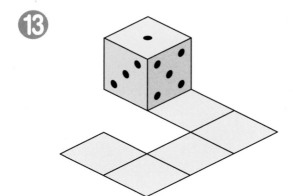

⑭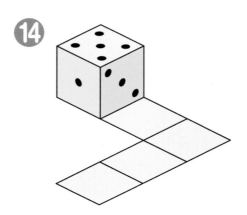

MEMO

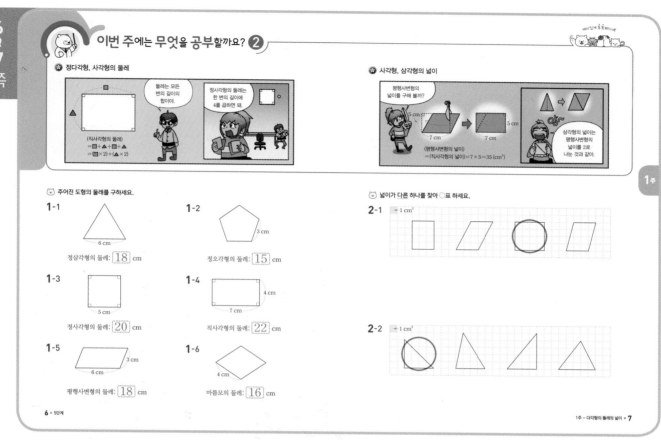

이번 주에는 무엇을 공부할까요? ②

☺ 주어진 도형의 둘레를 구하세요.

1-1
정삼각형의 둘레: 18 cm

1-2
정오각형의 둘레: 15 cm

1-3
정사각형의 둘레: 20 cm

1-4
직사각형의 둘레: 22 cm

1-5
평행사변형의 둘레: 18 cm

1-6
마름모의 둘레: 16 cm

☺ 넓이가 다른 하나를 찾아 ○표 하세요.

2-1 1 cm²

2-2 1 cm²

1일 둘레를 알 때 다각형 그리기

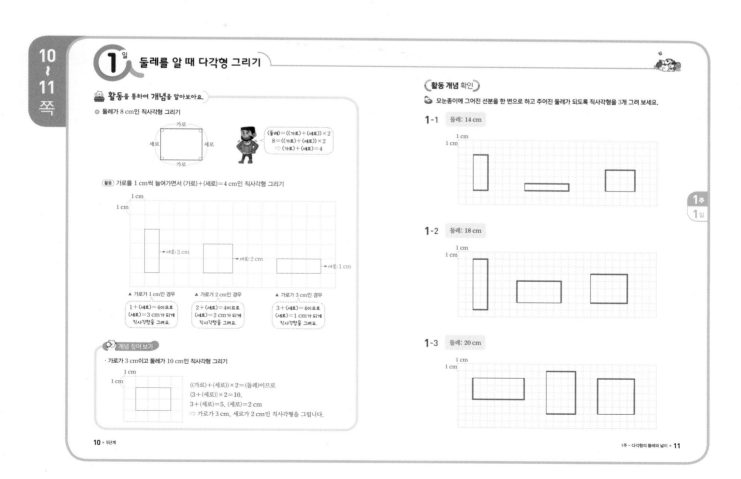

🖨 활동을 통하여 개념을 알아보아요.

◎ 둘레가 8 cm인 직사각형 그리기

(둘레)=((가로)+(세로))×2
8=((가로)+(세로))×2
⇨ (가로)+(세로)=4

활동 가로를 1 cm씩 늘여가면서 (가로)+(세로)=4 cm인 직사각형 그리기

▲ 가로가 1 cm인 경우
1+(세로)=4이므로
(세로)=3 cm가 되게
직사각형을 그려요

▲ 가로가 2 cm인 경우
2+(세로)=4이므로
(세로)=2 cm가 되게
직사각형을 그려요

▲ 가로가 3 cm인 경우
3+(세로)=4이므로
(세로)=1 cm가 되게
직사각형을 그려요

🐻 개념 잡아 보기

· 가로가 3 cm이고 둘레가 10 cm인 직사각형 그리기

((가로)+(세로))×2=(둘레)이므로
(3+(세로))×2=10,
3+(세로)=5, (세로)=2
⇨ 가로가 3 cm, 세로가 2 cm인 직사각형을 그립니다.

활동 개념 확인

🐱 모눈종이에 그어진 선분을 한 변으로 하고 주어진 둘레가 되도록 직사각형을 3개 그려 보세요.

1-1 둘레: 14 cm

1-2 둘레: 18 cm

1-3 둘레: 20 cm

1일 둘레를 알 때 다각형 그리기

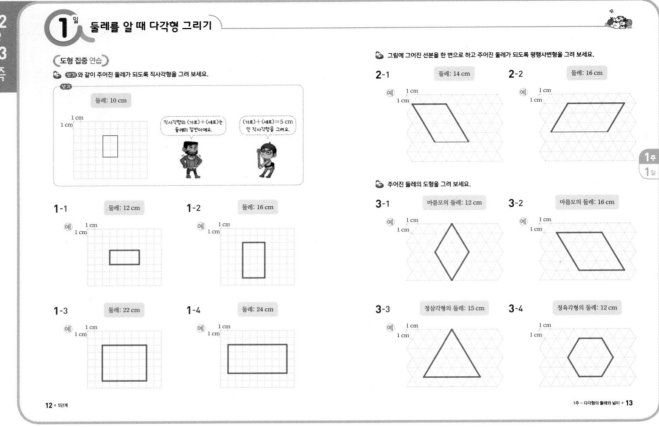

도형 집중 연습

보기와 같이 주어진 둘레가 되도록 직사각형을 그려 보세요.

보기

둘레: 10 cm

직사각형의 (가로)+(세로)는 둘레의 절반이에요.

(가로)+(세로)=5 cm 인 직사각형을 그려요.

1-1 둘레: 12 cm

1-2 둘레: 16 cm

1-3 둘레: 22 cm

1-4 둘레: 24 cm

그림에 그어진 선분을 한 변으로 하고 주어진 둘레가 되도록 평행사변형을 그려 보세요.

2-1 둘레: 14 cm

2-2 둘레: 16 cm

주어진 둘레의 도형을 그려 보세요.

3-1 마름모의 둘레: 12 cm

3-2 마름모의 둘레: 16 cm

3-3 정삼각형의 둘레: 15 cm

3-4 정육각형의 둘레: 12 cm

2일 직각으로 이루어진 도형의 둘레

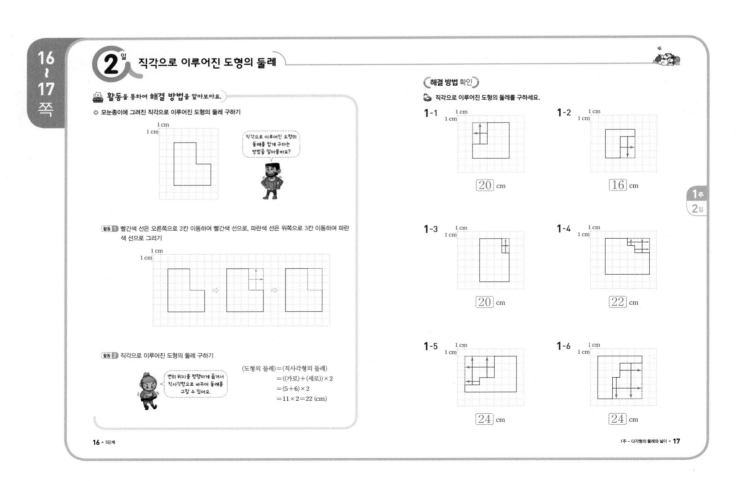

활동을 통하여 해결 방법을 알아보아요.

◎ 모눈종이에 그려진 직각으로 이루어진 도형의 둘레 구하기

직각으로 이루어진 도형의 둘레를 쉽게 구하는 방법을 알아볼까요?

활동 1 빨간색 선은 오른쪽으로 2칸 이동하여 빨간색 선으로, 파란색 선은 위쪽으로 3칸 이동하여 파란색 선으로 그리기

활동 2 직각으로 이루어진 도형의 둘레 구하기

변의 위치를 평행하게 옮겨서 직사각형으로 바꾸어 둘레를 구할 수 있어요.

$$(도형의 둘레)=(직사각형의 둘레)$$
$$=((가로)+(세로))×2$$
$$=(5+6)×2$$
$$=11×2=22 \text{ (cm)}$$

해결 방법 확인

직각으로 이루어진 도형의 둘레를 구하세요.

1-1 20 cm

1-2 16 cm

1-3 20 cm

1-4 22 cm

1-5 24 cm

1-6 24 cm

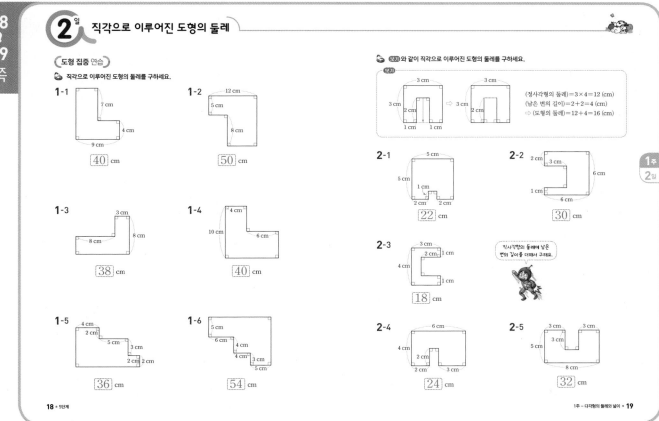

2일 직각으로 이루어진 도형의 둘레

（도형 집중 연습）

직각으로 이루어진 도형의 둘레를 구하세요.

1-1 40 cm 1-2 50 cm

1-3 38 cm 1-4 40 cm

1-5 36 cm 1-6 54 cm

보기와 같이 직각으로 이루어진 도형의 둘레를 구하세요.

보기

（정사각형의 둘레）＝3×4＝12 (cm)
（남은 변의 길이）＝2＋2＝4 (cm)
➡ （도형의 둘레）＝12＋4＝16 (cm)

2-1 22 cm 2-2 30 cm

2-3 18 cm

직사각형의 둘레에 남은 변의 길이를 더해서 구해요.

2-4 24 cm 2-5 32 cm

풀이

1-1

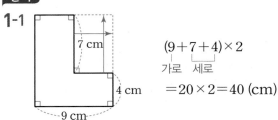

$(9+7+4)×2$
가로 세로
$=20×2=40$ (cm)

1-2 $(12+5+8)×2=25×2=50$ (cm)

1-3 $(8+3+8)×2=19×2=38$ (cm)

1-4 $(4+6+10)×2=20×2=40$ (cm)

1-5

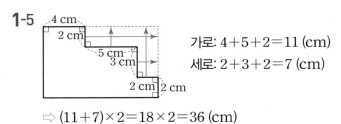

가로: $4+5+2=11$ (cm)
세로: $2+3+2=7$ (cm)

➡ $(11+7)×2=18×2=36$ (cm)

1-6 가로: $6+4+5=15$ (cm)
세로: $5+4+3=12$ (cm)
➡ $(15+12)×2=27×2=54$ (cm)

2-1 （정사각형의 둘레）$=5×4=20$ (cm)
（남은 변의 길이）$=1+1=2$ (cm)
➡ $20+2=22$ (cm)

2-2 （정사각형의 둘레）$=6×4=24$ (cm)
（남은 변의 길이）$=3+3=6$ (cm)
➡ $24+6=30$ (cm)

2-3 （직사각형의 둘레）$=(3+4)×2=14$ (cm)
（남은 변의 길이）$=2+2=4$ (cm)
➡ $14+4=18$ (cm)

2-4 （직사각형의 둘레）$=(6+4)×2=20$ (cm)
（남은 변의 길이）$=2+2=4$ (cm)
➡ $20+4=24$ (cm)

2-5 （직사각형의 둘레）$=(8+5)×2=26$ (cm)
（남은 변의 길이）$=3+3=6$ (cm)
➡ $26+6=32$ (cm)

3^일 도형의 넓이를 이용하여 변의 길이 구하기

🖥 활동을 통하여 **해결 방법**을 알아보아요.

◇ 넓이가 20 cm²인 직사각형의 세로 구하기

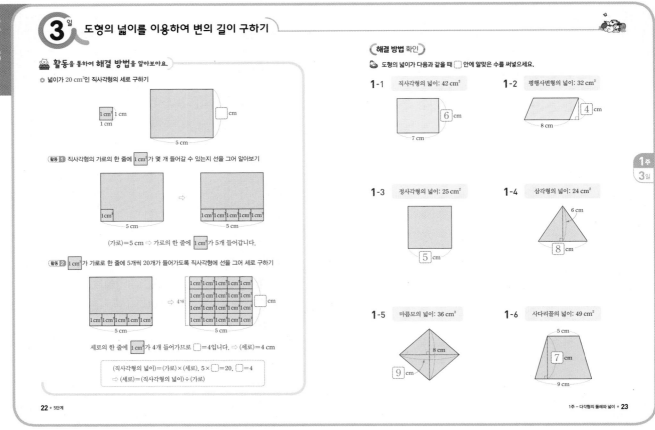

【활동 1】 직사각형의 가로의 한 줄에 1 cm²가 몇 개 들어갈 수 있는지 선을 그어 알아보기

(가로)=5 cm ⇒ 가로의 한 줄에 1 cm²가 5개 들어갑니다.

【활동 2】 1 cm²가 가로로 한 줄에 5개씩 20개가 들어가도록 직사각형에 선을 그어 세로 구하기

세로의 한 줄에 1 cm²가 4개 들어가므로 □=4입니다. (세로)=4 cm

(직사각형의 넓이)=(가로)×(세로), 5×□=20, □=4
⇒ (세로)=(직사각형의 넓이)÷(가로)

해결 방법 확인

🧶 도형의 넓이가 다음과 같을 때 □ 안에 알맞은 수를 써넣으세요.

1-1 직사각형의 넓이: 42 cm²
6 cm
7 cm

1-2 평행사변형의 넓이: 32 cm²
4 cm
8 cm

1-3 정사각형의 넓이: 25 cm²
5 cm

1-4 삼각형의 넓이: 24 cm²
6 cm
8 cm

1-5 마름모의 넓이: 36 cm²
8 cm
9 cm

1-6 사다리꼴의 넓이: 49 cm²
5 cm
7 cm
9 cm

3^일 도형의 넓이를 이용하여 변의 길이 구하기

도형 집중 연습

🧶 그림에서 두 직선은 서로 평행합니다. 도형 가와 도형 나의 넓이가 같을 때, □ 안에 알맞은 수를 써넣으세요.

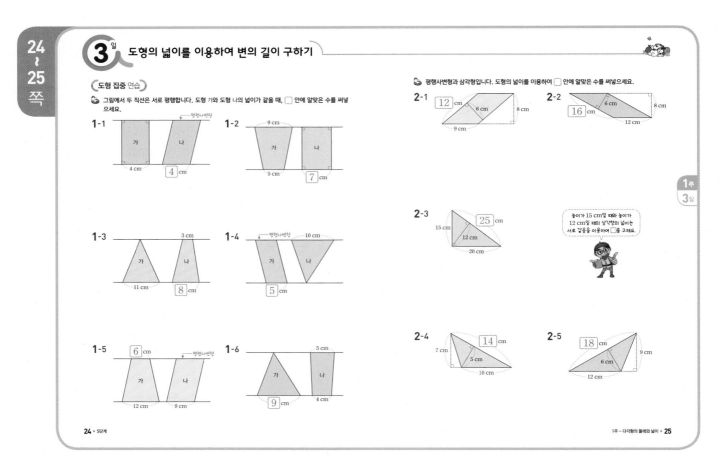

1-1 가 / 나
4 cm / 4 cm

1-2 9 cm / 가 / 나 / 5 cm / 7 cm

1-3 가 / 나 / 3 cm / 11 cm / 8 cm

1-4 10 cm / 가 / 나 / 5 cm

1-5 6 cm / 가 / 나 / 12 cm / 9 cm

1-6 5 cm / 가 / 나 / 9 cm / 4 cm

🧶 평행사변형과 삼각형입니다. 도형의 넓이를 이용하여 □ 안에 알맞은 수를 써넣으세요.

2-1 12 cm / 6 cm / 8 cm / 9 cm

2-2 16 cm / 6 cm / 8 cm / 12 cm

2-3 15 cm / 25 cm / 12 cm / 20 cm
(높이가 15 cm일 때와 높이가 12 cm일 때의 삼각형의 넓이는 서로 같음을 이용하여 □를 구해요.)

2-4 14 cm / 7 cm / 5 cm / 10 cm

2-5 18 cm / 6 cm / 9 cm / 12 cm

풀이

1-1 두 도형의 높이는 같으므로 높이를 △ cm라 하면
$4 \times △ = □ \times △$, $□ = 4$

1-2 두 도형의 높이는 같으므로 높이를 △ cm라 하면
$(9+5) \times △ \div 2 = □ \times △$,
$(9+5) \div 2 = □$, $□ = 14 \div 2 = 7$

1-3 두 도형의 높이는 같으므로 높이를 △ cm라 하면
$11 \times △ \div 2 = (3+□) \times △ \div 2$,
$11 = 3+□$, $□ = 11-3 = 8$

1-4 두 도형의 높이는 같으므로 높이를 △ cm라 하면
$□ \times △ = 10 \times △ \div 2$, $□ = 10 \div 2 = 5$

1-5 두 도형의 높이는 같으므로 높이를 △ cm라 하면
$(□+12) \times △ \div 2 = 9 \times △$, $(□+12) \div 2 = 9$,
$□+12 = 18$, $□ = 18-12 = 6$

1-6 두 도형의 높이는 같으므로 높이를 △ cm라 하면
$□ \times △ \div 2 = (5+4) \times △ \div 2$,
$□ = 5+4 = 9$

2-1 (평행사변형의 넓이)$= 9 \times 8 = 72$ (cm²)
높이가 6 cm일 때 밑변의 길이는 □ cm이므로
$□ = 72 \div 6 = 12$입니다.

2-2 (평행사변형의 넓이)$= 12 \times 8 = 96$ (cm²)
높이가 6 cm일 때 밑변의 길이는 □ cm이므로
$□ = 96 \div 6 = 16$입니다.

2-3 (삼각형의 넓이)$= 20 \times 15 \div 2 = 150$ (cm²)
높이가 12 cm일 때 밑변의 길이는 □ cm이므로
$□ = 150 \times 2 \div 12 = 25$입니다.

2-4 (삼각형의 넓이)$= 10 \times 7 \div 2 = 35$ (cm²)
높이가 5 cm일 때 밑변의 길이는 □ cm이므로
$□ = 35 \times 2 \div 5 = 14$입니다.

> **참고**
> (밑변의 길이) = (삼각형의 넓이) × 2 ÷ (높이)

2-5 (삼각형의 넓이)$= 12 \times 9 \div 2 = 54$ (cm²)
높이가 6 cm일 때 밑변의 길이는 □ cm이므로
$□ = 54 \times 2 \div 6 = 18$입니다.

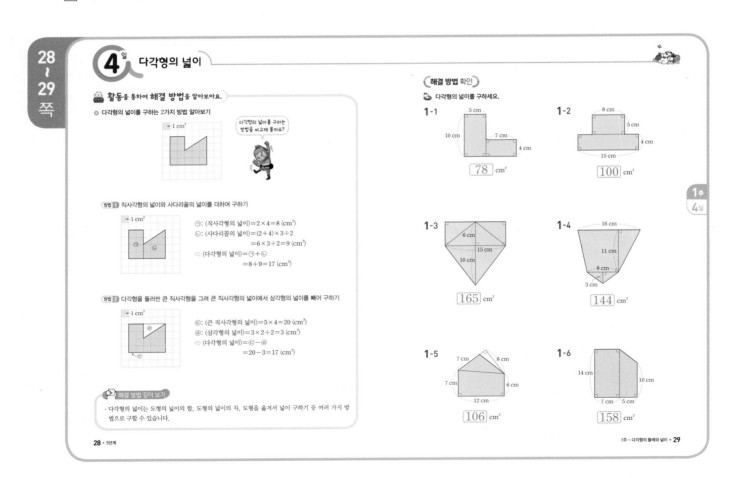

④일 다각형의 넓이

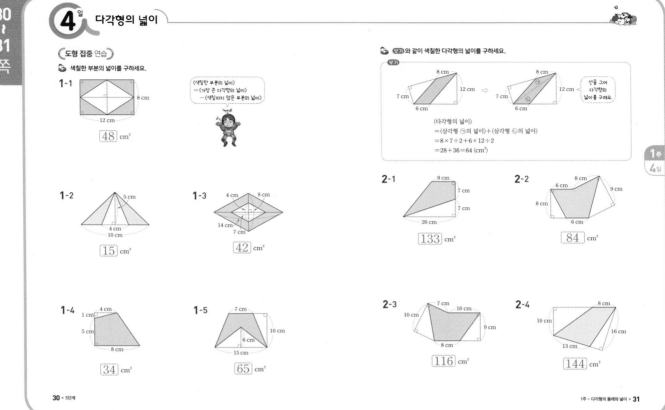

풀이

1-1 $12 \times 8 - 12 \times 8 \div 2 = 96 - 48 = 48 \ (\text{cm}^2)$

1-2 $10 \times 5 \div 2 - 4 \times 5 \div 2 = 25 - 10 = 15 \ (\text{cm}^2)$

1-3 $14 \times 8 \div 2 - 7 \times 4 \div 2 = 56 - 14 = 42 \ (\text{cm}^2)$

1-4 $(4+8) \times 6 \div 2 - 4 \times 1 \div 2 = 36 - 2 = 34 \ (\text{cm}^2)$

1-5 $(7+15) \times 10 \div 2 - 15 \times 6 \div 2$
$= 110 - 45 = 65 \ (\text{cm}^2)$

2-1

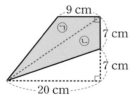

(삼각형 ㉠의 넓이)
+(삼각형 ㉡의 넓이)
$= 9 \times 14 \div 2 + 7 \times 20 \div 2$
$= 63 + 70 = 133 \ (\text{cm}^2)$

2-2

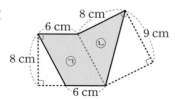

(평행사변형 ㉠의 넓이)+(삼각형 ㉡의 넓이)
$= 6 \times 8 + 8 \times 9 \div 2 = 48 + 36 = 84 \ (\text{cm}^2)$

2-3

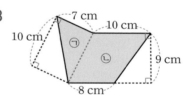

(삼각형 ㉠의 넓이)+(사다리꼴 ㉡의 넓이)
$= 7 \times 10 \div 2 + (10+8) \times 9 \div 2$
$= 35 + 81$
$= 116 \ (\text{cm}^2)$

2-4

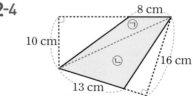

(삼각형 ㉠의 넓이)+(삼각형 ㉡의 넓이)
$= 8 \times 10 \div 2 + 13 \times 16 \div 2$
$= 40 + 104$
$= 144 \ (\text{cm}^2)$

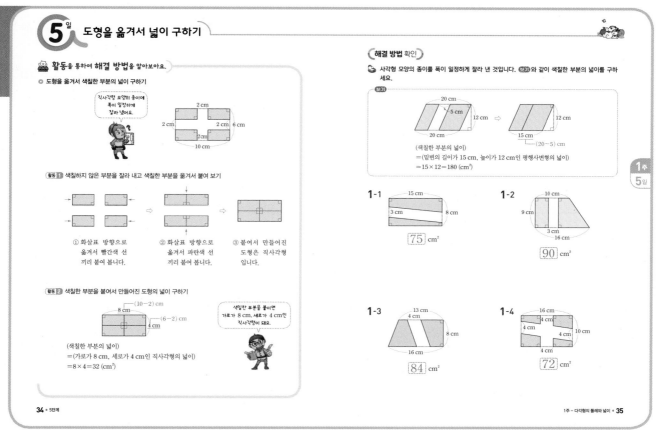

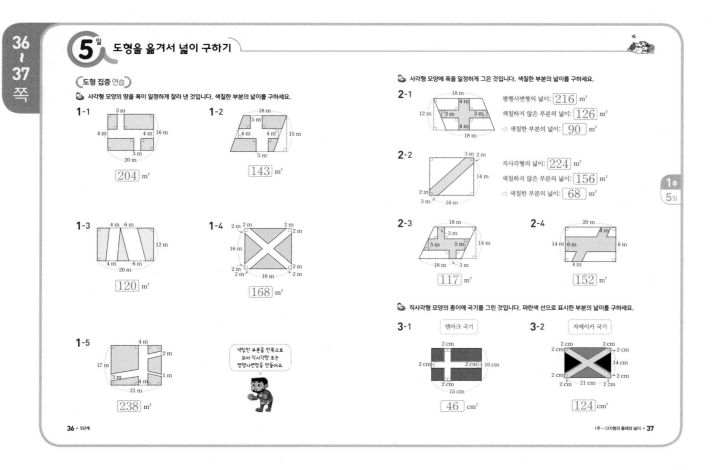

1-1

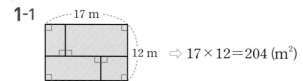

$\Rightarrow 17 \times 12 = 204 \ (\text{m}^2)$

1-2

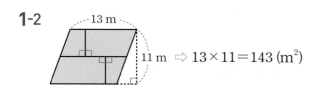

$\Rightarrow 13 \times 11 = 143 \ (\text{m}^2)$

1-3

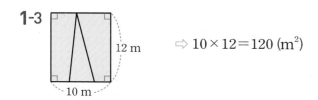

$\Rightarrow 10 \times 12 = 120 \ (\text{m}^2)$

1-4

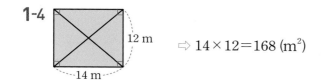

$\Rightarrow 14 \times 12 = 168 \ (\text{m}^2)$

1-5

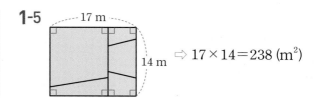

$\Rightarrow 17 \times 14 = 238 \ (\text{m}^2)$

2-1 (평행사변형의 넓이)$=18 \times 12 = 216 \ (\text{m}^2)$

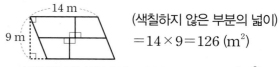

(색칠하지 않은 부분의 넓이)
$=14 \times 9 = 126 \ (\text{m}^2)$

$\Rightarrow$ (색칠한 부분의 넓이)$=216 - 126 = 90 \ (\text{m}^2)$

2-2 (직사각형의 넓이)$=16 \times 14 = 224 \ (\text{m}^2)$

(색칠하지 않은 부분의 넓이)$=13 \times 12 = 156 \ (\text{m}^2)$

$\Rightarrow$ (색칠한 부분의 넓이)$=224 - 156 = 68 \ (\text{m}^2)$

2-3 $18 \times 14 - 15 \times 9 = 252 - 135 = 117 \ (\text{m}^2)$

2-4 $20 \times 14 - 16 \times 8 = 280 - 128 = 152 \ (\text{m}^2)$

3-1 $15 \times 10 - 13 \times 8 = 150 - 104 = 46 \ (\text{cm}^2)$

3-2 $21 \times 14 - 17 \times 10 = 294 - 170 = 124 \ (\text{cm}^2)$

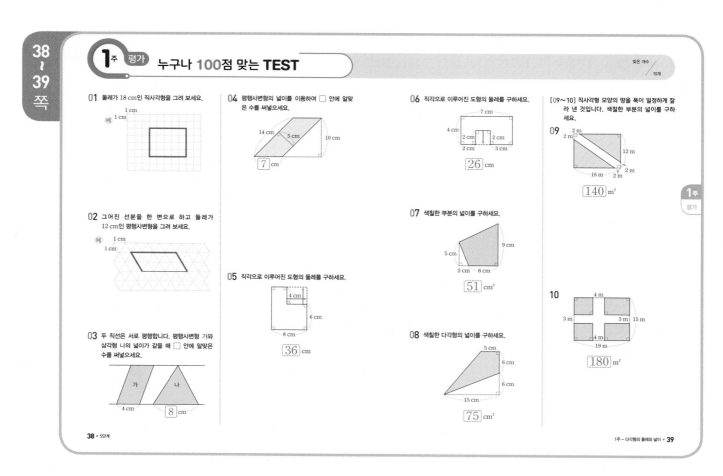

38 ~ 39 쪽

1주 평가 누구나 **100점** 맞는 **TEST**

맞은 개수 /10개

01 둘레가 18 cm인 직사각형을 그려 보세요.

02 그어진 선분을 한 변으로 하고 둘레가 12 cm인 평행사변형을 그려 보세요.

03 두 직선은 서로 평행합니다. 평행사변형 가와 삼각형 나의 넓이가 같을 때 □ 안에 알맞은 수를 써넣으세요. 4 cm, [8] cm

04 평행사변형의 넓이를 이용하여 □ 안에 알맞은 수를 써넣으세요. 14 cm, 5 cm, 10 cm, [7] cm

05 직각으로 이루어진 도형의 둘레를 구하세요. 4 cm, 6 cm, 8 cm, [36] cm

06 직각으로 이루어진 도형의 둘레를 구하세요. 7 cm, 4 cm, 2 cm, 2 cm, 2 cm, 3 cm, [26] cm

07 색칠한 부분의 넓이를 구하세요. 9 cm, 5 cm, 2 cm, 6 cm, [51] cm²

08 색칠한 다각형의 넓이를 구하세요. 5 cm, 6 cm, 6 cm, 15 cm, [75] cm²

[09~10] 직사각형 모양의 땅을 폭이 일정하게 잘라 낸 것입니다. 색칠한 부분의 넓이를 구하세요.

09 2 m, 2 m, 12 m, 16 m, 2 m, [140] m²

10 4 m, 3 m, 3 m, 15 m, 4 m, 19 m, [180] m²

특강 중학 도형 맛보기

오스트리아 수학자 픽은 '픽의 정리'를 발표하여 다각형의 넓이를 구하는 방법을 알려주었습니다. 픽의 정리는 다음과 같습니다.

둘레에 있는 점의 개수(개)	10
내부에 있는 점의 개수(개)	4

(다각형의 넓이)=(둘레에 있는 점의 개수)÷2−1+(내부에 있는 점의 개수)
=10÷2−1+4
=5−1+4=8

도형판의 점과 점 사이의 가장 짧은 길이가 1 cm일 때, 표를 완성하고 다각형의 넓이를 픽의 정리로 구하세요.

❶

둘레에 있는 점의 개수(개)	8
내부에 있는 점의 개수(개)	3

넓이: 6 cm²

❷
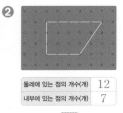

둘레에 있는 점의 개수(개)	12
내부에 있는 점의 개수(개)	7

넓이: 12 cm²

도형판의 점과 점 사이의 가장 짧은 길이가 1 cm일 때, 다각형의 넓이를 픽의 정리로 구하세요.

❸

5 cm²

❹

8 cm²

❺

6 cm²

❻

5 cm²

❼
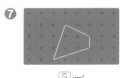
5 cm²

❽
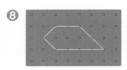
7 cm²

특강 중학 도형 맛보기

다음은 직각삼각형의 각 변을 한 변으로 하는 정사각형을 3개 그린 것입니다. 피타고라스의 정리를 보고 색칠한 정사각형의 넓이를 구하세요.

피타고라스의 정리

직각삼각형에서 직각과 마주 보는 변을 한 변으로 하는 정사각형의 넓이(㉠)는 나머지 두 변을 각각 한 변으로 하는 정사각형 두 개의 넓이(㉡과 ㉢)의 합과 같습니다.
➡ (㉠의 넓이)=(㉡의 넓이)+(㉢의 넓이)

❾

25 cm²

❿
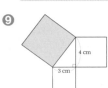
169 cm²

⓫
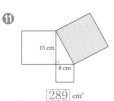
289 cm²

참고
우리 둘의 넓이를 더하면
내 넓이가 돼요.

직각삼각형의 각 변을 한 변으로 하는 정사각형을 3개 그린 것입니다. 피타고라스의 정리에 의해 선분 ㄱㄴ의 길이를 구하세요.

⓬

3 cm
4 cm
5 cm

⓭
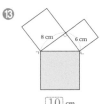
8 cm
6 cm
10 cm

⓮
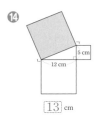
5 cm
12 cm
13 cm

⓯
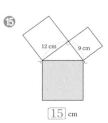
12 cm
9 cm
15 cm

48~49쪽

이번 주에는 무엇을 공부할까요? 2

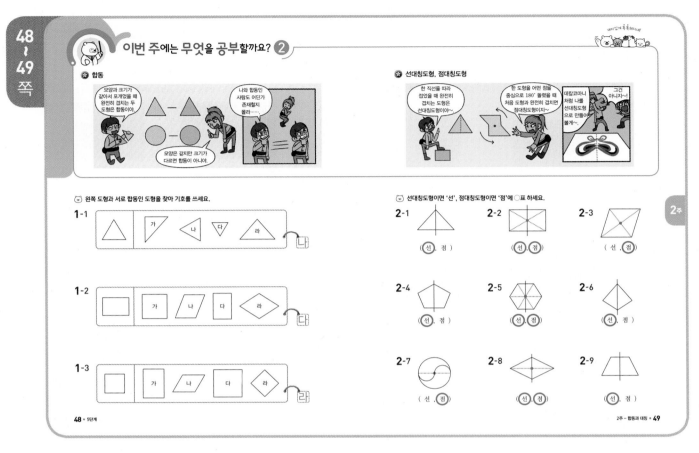

52~53쪽

1일 합동

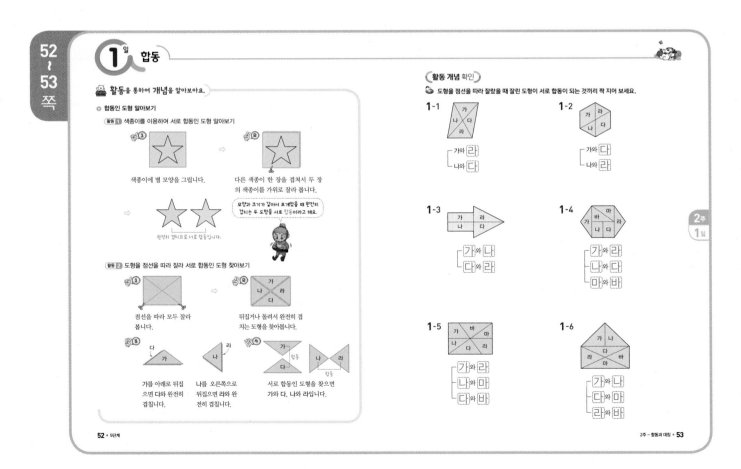

54~55쪽

1일 합동

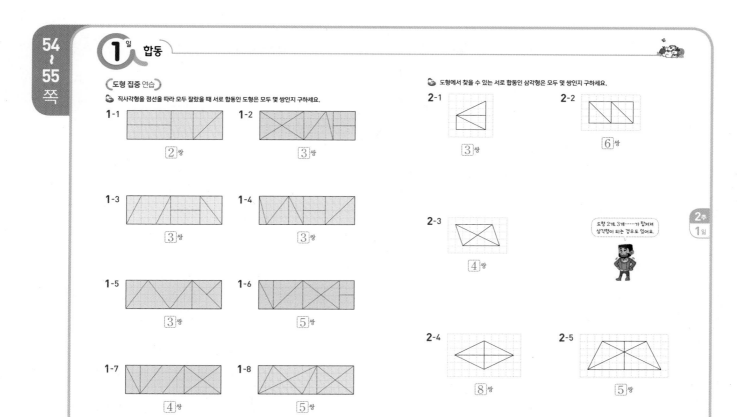

(도형 집중 연습)

직사각형을 점선을 따라 모두 잘랐을 때 서로 합동인 도형은 모두 몇 쌍인지 구하세요.

1-1 [2]쌍

1-2 [3]쌍

1-3 [3]쌍

1-4 [3]쌍

1-5 [3]쌍

1-6 [5]쌍

1-7 [4]쌍

1-8 [5]쌍

도형에서 찾을 수 있는 서로 합동인 삼각형은 모두 몇 쌍인지 구하세요.

2-1 [3]쌍

2-2 [6]쌍

2-3 [4]쌍

도형 2개, 3개……가 합쳐져 삼각형이 되는 경우도 있어요.

2-4 [8]쌍

2-5 [5]쌍

58~59쪽

2일 합동인 도형 만들기

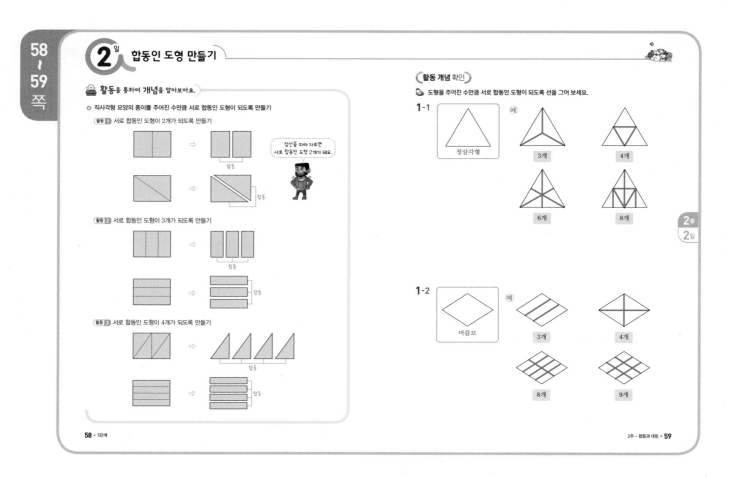

활동을 통하여 개념을 알아보아요.

◦ 직사각형 모양의 종이를 주어진 수만큼 서로 합동인 도형이 되도록 만들기

활동 1 서로 합동인 도형이 2개가 되도록 만들기

점선을 따라 자르면 서로 합동인 도형 2개가 돼요.

활동 2 서로 합동인 도형이 3개가 되도록 만들기

활동 3 서로 합동인 도형이 4개가 되도록 만들기

(활동 개념 확인)

도형을 주어진 수만큼 서로 합동인 도형이 되도록 선을 그어 보세요.

1-1 정삼각형

예 3개

4개

6개

8개

1-2 마름모

예 3개

4개

8개

9개

2일 합동인 도형 만들기

도형 집중 연습

🔷 주어진 수만큼 서로 합동인 도형이 되도록 선을 그어 보세요.

1-1 (3) 예

1-2 (4) 예

1-3 (5) 예

1-4 (6) 예

2 여러 가지 방법으로 정사각형을 잘라 서로 합동인 도형을 4개 만들려고 합니다. 정사각형에 자르는 선을 그어 보세요.

예

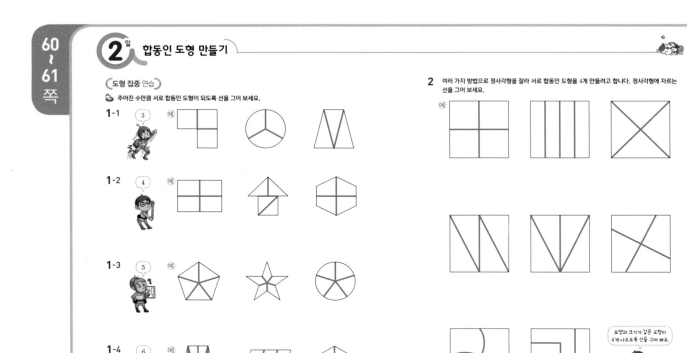

모양과 크기가 같은 도형이 4개 나오도록 선을 그어 봐요.

또는 ⬚ , ⬚ , ⬚ , ⬚ 등이 있습니다.

3일 대칭축 그리기

🚜 활동을 통하여 개념을 알아보아요.

◇ 선대칭도형의 대칭축 그리기

활동 선대칭도형인 직사각형의 대칭축을 모두 그려 보기

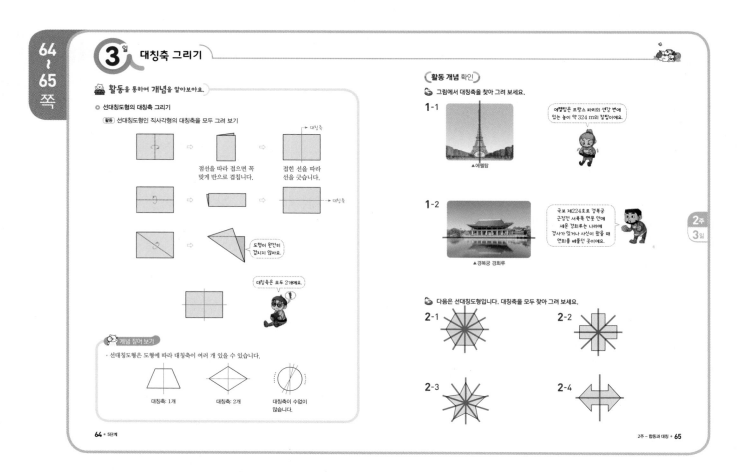

점선을 따라 접으면 꼭 맞게 반으로 접칩니다.

접힌 선을 따라 선을 긋습니다.

도형이 완전히 겹치지 않아요.

대칭축은 모두 2개예요.

개념 짚어 보기

• 선대칭도형은 도형에 따라 대칭축이 여러 개 있을 수 있습니다.

대칭축: 1개   대칭축: 2개   대칭축이 수없이 많습니다.

활동 개념 확인

🔷 그림에서 대칭축을 찾아 그려 보세요.

1-1

▲에펠탑

에펠탑은 프랑스 파리의 센강 변에 있는 높이 약 324 m의 철탑이에요.

1-2

▲경복궁 경회루

국보 제224호로 경복궁 근정전 서북쪽 연못 안에 세운 경회루는 나라에 경사가 있거나 사신이 왔을 때 연회를 베풀던 곳이에요.

🔷 다음은 선대칭도형입니다. 대칭축을 모두 찾아 그려 보세요.

2-1   **2-2**

2-3   **2-4**

3일 대칭축 그리기

(도형 집중 연습)

다음은 선대칭도형입니다. 보기와 같이 대칭축이 모두 몇 개인지 구하세요.

펜토미노는 정사각형 5개를 붙인 퍼즐입니다. 다음 펜토미노 중 선대칭도형을 모두 찾아 대칭축을 모두 그려 보세요.

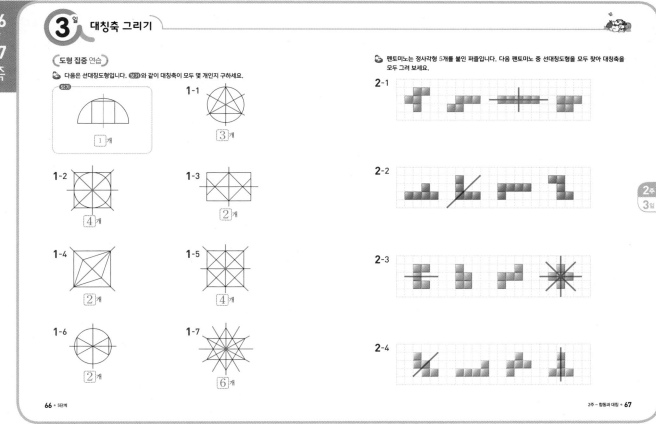

보기 1개

1-1 3개
1-2 4개
1-3 2개
1-4 2개
1-5 4개
1-6 2개
1-7 6개

2-1
2-2
2-3
2-4

4일 대칭인 도형

활동을 통하여 개념을 알아보아요.

◎ 도형을 보고 선대칭도형과 점대칭도형 찾아보기

(활동 개념 확인)

지도에서 쓰이는 기호입니다. 기호가 선대칭도형이면 '선', 점대칭도형이면 '점'에 ○표 하세요.

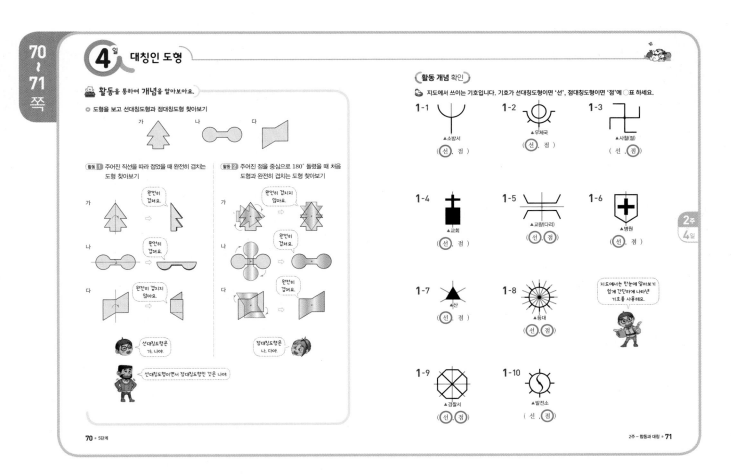

1-1 ▲소방서 (선 . 점)
1-2 ▲우체국 (선 . 점)
1-3 ▲사찰(절) (선 . 점)
1-4 ▲교회 (선 . 점)
1-5 ▲교량(다리) (선 . 점)
1-6 ▲병원 (선 . 점)
1-7 ▲산 (선 . 점)
1-8 ▲등대 (선 . 점)
1-9 ▲경찰서 (선 . 점)
1-10 ▲발전소 (선 . 점)

4일 대칭인 도형

(도형 집중 연습)

🐢 문자 중 선대칭도형이면 '선', 점대칭도형이면 '점'에 ○표 하세요.

1-1 **뱀** (⬭선 , 점)

1-2 **근** (선 , 점⬭)

1-3 **표** (⬭선 , 점)

1-4 **를** (선 , 점⬭)

1-5 **름** (⬭선 , 점⬭)

1-6 **봄** (선⬭ , 점)

1-7 **흥** (⬭선 , 점)

1-8 **쫑** (⬭선 , 점)

1-9 **응** (선 , 점⬭)

2 수 카드 중에서 선대칭이면서 점대칭인 수를 찾아보세요.

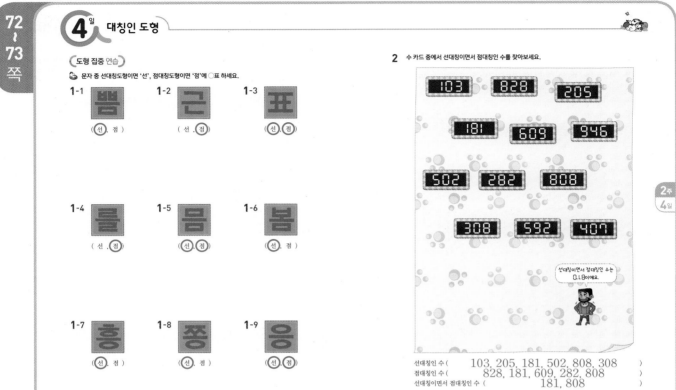

선대칭이면서 점대칭인 수는 0, 1, 8이에요.

선대칭인 수 (103, 205, 181, 502, 808, 308)
점대칭인 수 (828, 181, 609, 282, 808)
선대칭이면서 점대칭인 수 (181, 808)

5일 점대칭도형이 되도록 점 찍기

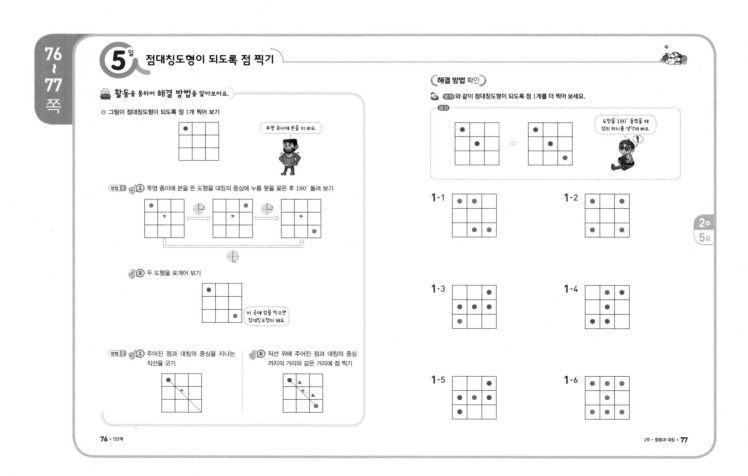

🐢 활동을 통하여 해결 방법을 알아보아요.

◎ 그림이 점대칭도형이 되도록 점 1개 찍어 보기

투명 종이에 본을 떠 봐요.

방법 1 ① 투명 종이에 본을 뜬 도형을 대칭의 중심에 누름 못을 꽂은 후 180° 돌려 보기

② 두 도형을 포개어 보기

이 곳에 점을 찍으면 점대칭도형이 돼요.

방법 2 ① 주어진 점과 대칭의 중심을 지나는 직선을 긋기

② 직선 위에 주어진 점과 대칭의 중심까지의 거리와 같은 거리에 점 찍기

(해결 방법 확인)

🐢 보기와 같이 점대칭도형이 되도록 점 1개를 더 찍어 보세요.

보기

도형을 180° 돌렸을 때 점의 위치를 생각해 봐요.

1-1

1-2

1-3

1-4

1-5

1-6

5일 점대칭도형이 되도록 점 찍기

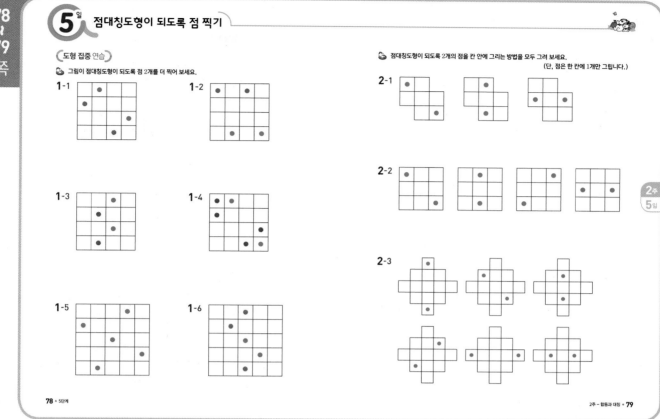

도형 집중 연습

그림이 점대칭도형이 되도록 점 2개를 더 찍어 보세요.

1-1 1-2

1-3 1-4

1-5 1-6

점대칭도형이 되도록 2개의 점을 칸 안에 그리는 방법을 모두 그려 보세요.
(단, 점은 한 칸에 1개만 그립니다.)

2-1

2-2

2-3

2주 평가 누구나 100점 맞는 TEST

맞은 개수
/10개

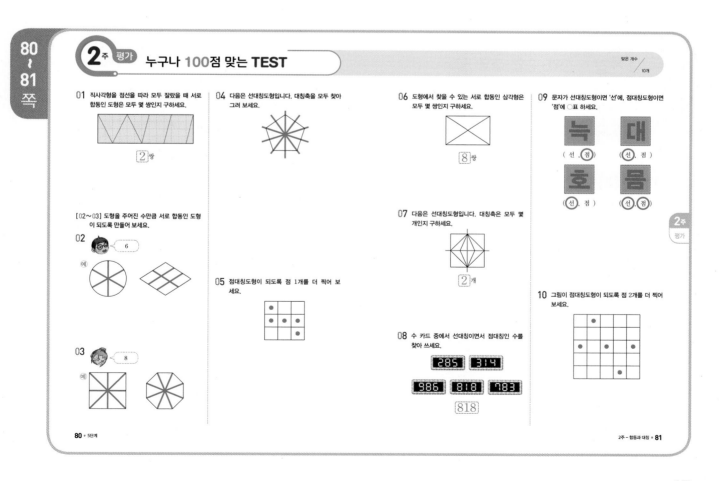

01 직사각형을 점선을 따라 모두 잘랐을 때 서로 합동인 도형은 모두 몇 쌍인지 구하세요.

2 쌍

[02~03] 도형을 주어진 수만큼 서로 합동인 도형이 되도록 만들어 보세요.

02 6
예

03 8
예

04 다음은 선대칭도형입니다. 대칭축을 모두 찾아 그려 보세요.

05 점대칭도형이 되도록 점 1개를 더 찍어 보세요.

06 도형에서 찾을 수 있는 서로 합동인 삼각형은 모두 몇 쌍인지 구하세요.

8 쌍

07 다음은 선대칭도형입니다. 대칭축은 모두 몇 개인지 구하세요.

2 개

08 수 카드 중에서 선대칭이면서 점대칭인 수를 찾아 쓰세요.

285 314

986 818 783

818

09 문자가 선대칭도형이면 '선'에, 점대칭도형이면 '점'에 ○표 하세요.

늑 (선 , 점)
대 (선 , 점)
호 (선 , 점)
름 (선 , 점)

10 그림이 점대칭도형이 되도록 점 2개를 더 찍어 보세요.

특강 창의 · 융합 · 코딩

창의
모양과 크기가 같은 울타리 안에 꽃이 한 송이씩 들어가게 심으려고 합니다. 도형을 서로 합동이 되도록 나누어 울타리를 만들어 보세요.

창의
모양과 크기가 같은 울타리 안에 동물이 한 마리씩 들어가게 하려고 합니다. 도형을 서로 합동이 되도록 울타리를 만들어 보세요. (단, 동물의 위치는 생각하지 않습니다.)

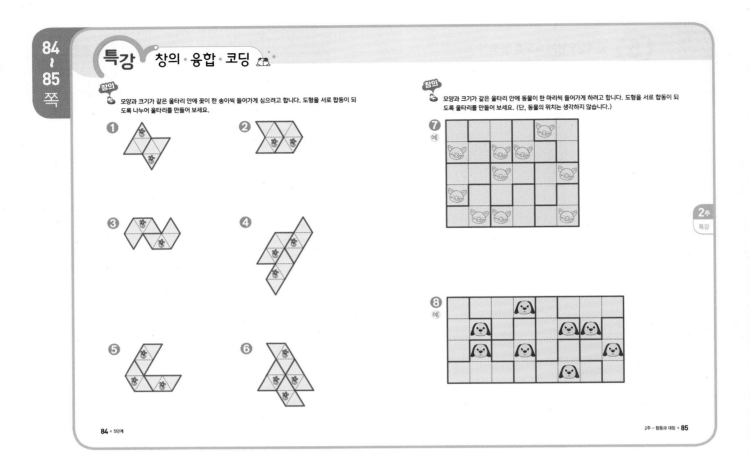

특강 창의 · 융합 · 코딩

코딩
⑨ 순서도(flow chart)는 일이 일어나는 순서나 작업의 진행 흐름을 기호와 도형을 이용해서 순서대로 적어놓은 것입니다. 자음자를 순서도에 따라 분류하여 보세요.

코딩
⑩ 특수 문자를 순서도에 따라 분류하여 보세요.

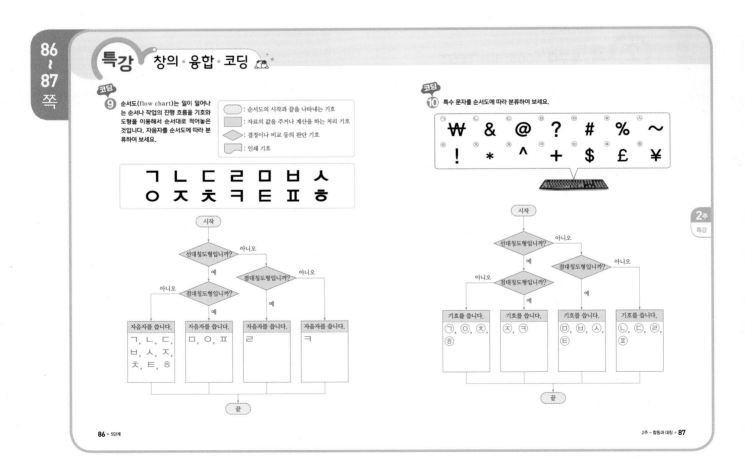

3주 | 합동과 대칭의 성질, 그리기

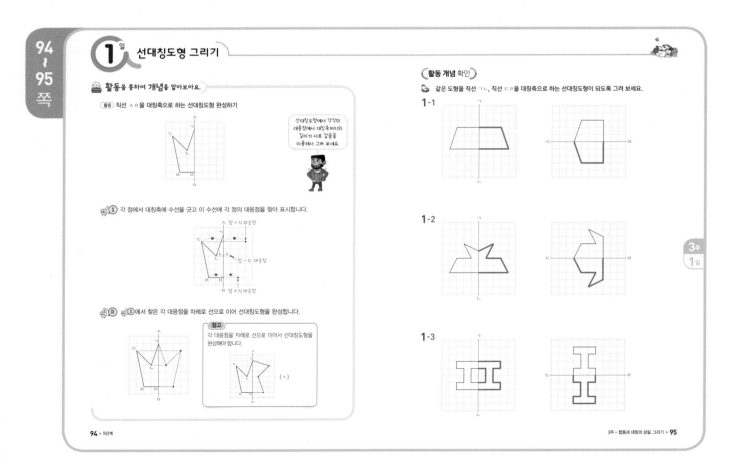

1일 선대칭도형 그리기

도형 집중 연습

선대칭도형이 되도록 그림을 완성하세요.

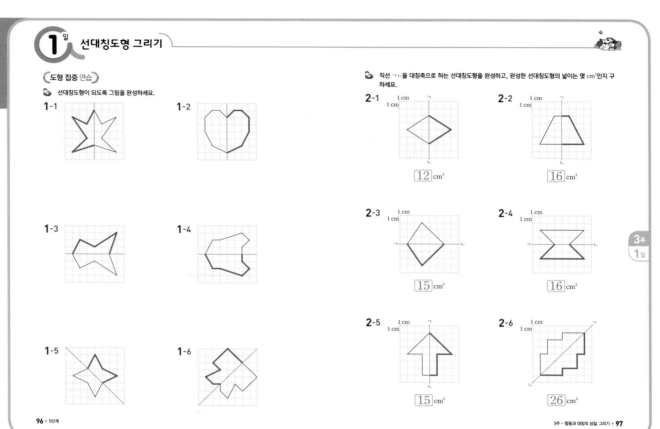

1-1

1-2

1-3

1-4

1-5

1-6

직선 ㄱㄴ을 대칭축으로 하는 선대칭도형을 완성하고, 완성한 선대칭도형의 넓이는 몇 cm²인지 구하세요.

2-1   1 cm   [12] cm²

2-2   1 cm   [16] cm²

2-3   1 cm   [15] cm²

2-4   1 cm   [16] cm²

2-5   1 cm   [15] cm²

2-6   1 cm   [26] cm²

2일 점대칭도형 그리기

활동을 통하여 개념을 알아보아요.

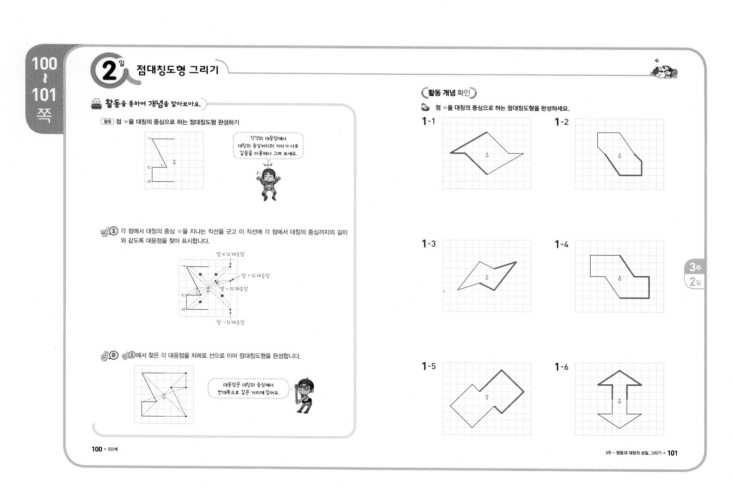

활동 점 ㅇ을 대칭의 중심으로 하는 점대칭도형 완성하기

각각의 대응점에서 대칭의 중심까지의 거리가 서로 같음을 이용하여 그려 보세요.

① 각 점에서 대칭의 중심 ㅇ을 지나는 직선을 긋고 이 직선에 각 점에서 대칭의 중심까지의 길이와 같도록 대응점을 찾아 표시합니다.

점 ㄹ의 대응점

점 ㅁ의 대응점

점 ㅂ의 대응점

점 ㄴ의 대응점

② ①에서 찾은 각 대응점을 차례로 선으로 이어 점대칭도형을 완성합니다.

대응점은 대칭의 중심에서 반대쪽으로 같은 거리에 있어요.

활동 개념 확인

점 ㅇ을 대칭의 중심으로 하는 점대칭도형을 완성하세요.

1-1

1-2

1-3

1-4

1-5

1-6

102~103쪽

2일 점대칭도형 그리기

도형 집중 연습

점 ○을 대칭의 중심으로 하는 점대칭도형을 완성하고, 완성한 점대칭도형은 몇 각형인지 쓰세요.

1-1 (사각형)

1-2 (육각형)

1-3 (팔각형)

1-4 (육각형)

1-5 (십각형)

1-6 (팔각형)

점 ○을 대칭의 중심으로 하는 점대칭도형을 완성하고, 완성한 점대칭도형의 넓이는 몇 cm²인지 구하세요.

2-1 16 cm²

2-2 8 cm²

2-3 20 cm²

2-4 24 cm²

2-5 24 cm²

2-6 18 cm²

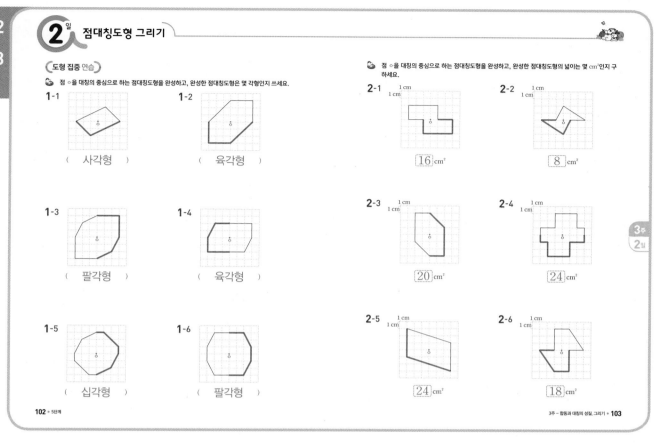

102 · 5단계

3주 – 합동과 대칭의 성질, 그리기 · 103

106~107쪽

3일 합동인 도형에서 각의 크기 구하기

활동을 통하여 해결 방법을 알아보아요

◇ 삼각형 ㄱㄴㄷ과 삼각형 ㄹㅁㅂ이 서로 합동일 때 각의 크기 구하기

활동1 서로 합동인 두 도형을 겹치지 않게 붙였을 때

① 크기가 같은 각에 같은 색을 칠해 봅니다.

(각 ㄹㅂㅁ)=(각 ㄱㄷㄴ)
(각 ㅂㅁㄹ)=(각 ㄷㄴㄱ)
(각 ㅁㄹㅂ)=(각 ㄴㄱㄷ)

② ㉠의 크기를 구해 봅니다.
(각 ㅁㄹㅂ)=(각 ㄴㄱㄷ)=30°,
(각 ㅂㅁㄹ)=(각 ㄷㄴㄱ)=90°
삼각형의 세 각의 크기의 합은 180°이므로
삼각형 ㄹㅁㅂ에서
(각 ㄹㅂㅁ)=180°−30°−90°=60°입니다.
⇒㉠=180°−(각 ㄹㅂㅁ)
=180°−60°=120°

활동2 서로 합동인 두 도형을 겹쳤을 때

① 크기가 같은 각에 같은 색을 칠해 봅니다.

(각 ㄴㄱㄷ)=(각 ㄹㄱㅂ)
(각 ㄱㄷㄴ)=(각 ㄹㅁㅂ)
(각 ㄱㄴㄷ)=(각 ㄹㅂㅁ)

② ㉡의 크기를 구해 봅니다.
삼각형의 세 각의 크기의 합은 180°이므로
삼각형 ㄱㄴㄷ에서
(각 ㄱㄷㄴ)=180°−30°−90°=60°이고
(각 ㄹㅁㅂ)=(각 ㄱㄷㄴ)=60°입니다.
사각형의 네 각의 크기의 합이 360°이므로
사각형 ㅂㄴㄷㅅ에서
㉡=360°−60°−90°−60°=150°입니다.

해결 방법 짚어 보기

· 서로 합동인 도형에서 대응각을 찾아 대응각의 크기는 같음을 이용하여 문제를 해결합니다.

해결 방법 확인

다음과 같이 서로 합동인 두 삼각형을 겹치지 않게 붙였을 때 ㉠의 크기는 몇 도인지 구하세요.

1-1 삼각형 ㄱㄴㄷ과 삼각형 ㄹㅁㄷ
(각 ㄱㄷㄴ)=40°
(각 ㄴㄷㄷ) 50
⇒ 130°

1-2 삼각형 ㄱㄴㄷ과 삼각형 ㄷㄹㅁ
(각 ㄱㄷㄴ) 55
(각 ㅁㄷㄹ) 30
⇒㉠= 95°

1-3 삼각형 ㄱㄴㄷ과 삼각형 ㄹㄷㄷ
㉠= 125°

1-4 삼각형 ㄱㄴㄷ과 삼각형 ㄷㄹㅁ
㉠= 100°

1-5 삼각형 ㄱㄴㄷ과 삼각형 ㄱㄷㄹ
㉠= 140°

1-6 삼각형 ㄱㄴㄷ과 삼각형 ㄹㄷㅁ
㉠= 40°

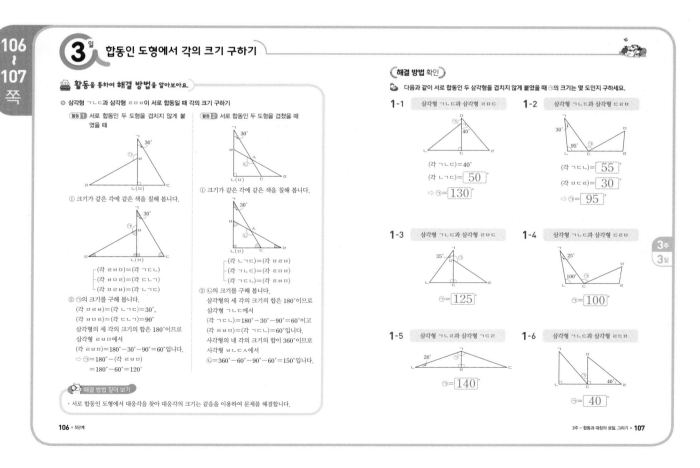

106 · 5단계

3주 – 합동과 대칭의 성질, 그리기 · 107

정답과 풀이 · 19

3^일 합동인 도형에서 각의 크기 구하기

도형 집중 연습

다음과 같이 서로 합동인 두 삼각형을 겹쳤을 때 ☐ 안에 알맞은 수를 써넣으세요.

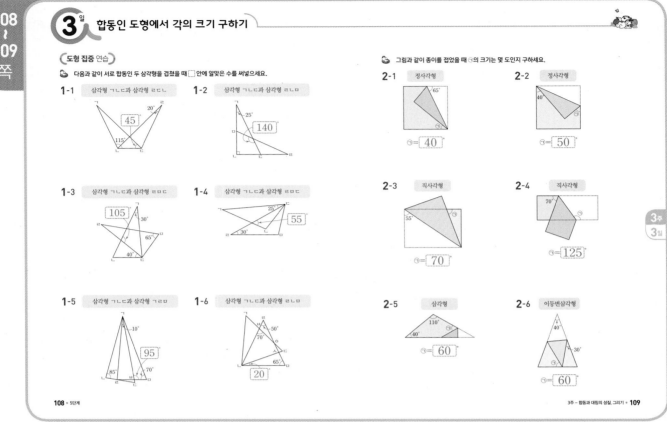

1-1 삼각형 ㄱㄴㄷ과 삼각형 ㄹㄷㄴ

1-2 삼각형 ㄱㄴㄷ과 삼각형 ㄹㄴㅁ

1-3 삼각형 ㄱㄴㄷ과 삼각형 ㄹㅁㄷ

1-4 삼각형 ㄱㄴㄷ과 삼각형 ㄹㅁㄷ

1-5 삼각형 ㄱㄴㄷ과 삼각형 ㄱㄹㅁ

1-6 삼각형 ㄱㄴㄷ과 삼각형 ㄹㄴㅁ

그림과 같이 종이를 접었을 때 ㉠의 크기는 몇 도인지 구하세요.

2-1 정사각형 ㉠=40°

2-2 정사각형 ㉠=50°

2-3 직사각형 ㉠=70°

2-4 직사각형 ㉠=125°

2-5 삼각형 ㉠=60°

2-6 이등변삼각형 ㉠=60°

4^일 선대칭도형의 성질

활동을 통하여 개념을 알아보아요.

◦ 오른쪽 선대칭도형에서 대응변의 길이와 대응각의 크기를 각각 알아보기

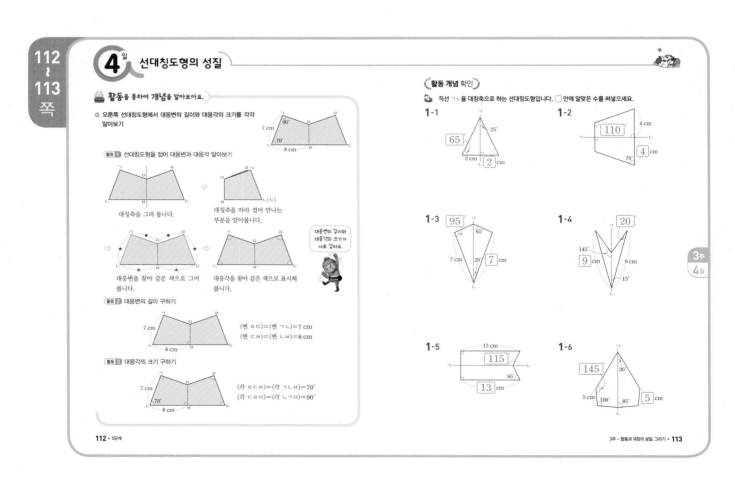

활동 1 선대칭도형을 접어 대응변과 대응각 알아보기

대칭축을 그려 봅니다.

대칭축을 따라 접어 만나는 부분을 알아봅니다.

대응변을 찾아 같은 색으로 그어 봅니다.

대응각을 찾아 같은 색으로 표시해 봅니다.

대응변의 길이와 대응각의 크기가 서로 같아요.

활동 2 대응변의 길이 구하기

(변 ㄹㄷ)=(변 ㄱㄴ)=7 cm
(변 ㄷㅂ)=(변 ㄴㅂ)=8 cm

활동 3 대응각의 크기 구하기

(각 ㄹㄷㅂ)=(각 ㄱㄴㅂ)=70°
(각 ㄷㄹㅁ)=(각 ㄴㄱㅁ)=90°

활동 개념 확인

직선 ㄱㄴ을 대칭축으로 하는 선대칭도형입니다. ☐ 안에 알맞은 수를 써넣으세요.

1-1 65

1-2 110

1-3 95

1-4 20

1-5 115 / 13

1-6 145

4일 선대칭도형의 성질

도형 집중 연습

선대칭도형입니다. □ 안에 알맞은 수를 써넣으세요. 직선 ㄱㄴ을 대칭축으로 하는

1-1 35 125°

한 직선이 이루는 각의 크기는 180°예요.

1-2 60 60°

1-3 130 40°

1-4 60° 135° 105°

1-5 95 70° 75°

선대칭도형입니다. 도형의 둘레는 몇 cm인지 구하세요.

2-1 10 cm 8 cm 36 cm

2-2 11 cm 10 cm 7 cm 56 cm

2-3 6 cm 4 cm 2 cm 24 cm

2-4 10 cm 7 cm 8 cm 50 cm

선대칭도형의 둘레가 다음과 같을 때 □ 안에 알맞은 수를 써넣으세요.

3-1 둘레: 38 cm   9 cm 4 6 cm

3-2 둘레: 26 cm 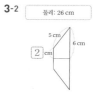 5 cm 6 cm 2 cm

---

풀이

1-3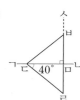

(각 ㅁㄷㅂ)=(각 ㅁㄷㄹ)=40°
(각 ㄷㅂㅁ)=180°-40°-90°=50°
⇨ (각 ㄷㅂㅅ)=180°-50°=130°

1-4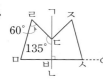

(각 ㄹㅁㅂ)
=360°-60°-90°-135°
=75°
(각 ㅈㅅㅂ)=(각 ㄹㅁㅂ)=75°
⇨ (각 ㅈㅅㅇ)=180°-75°=105°

1-5

(각 ㅈㅅㅂ)=180°-75°=105°
(각 ㄹㅁㅂ)=(각 ㅈㅅㅂ)=105°
⇨ (각 ㄷㄹㅁ)
=360°-70°-105°-90°
=95°

2-3 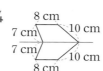 6 cm 4 cm 2 cm 2 cm 6 cm 4 cm

(둘레)=6+4+2+2+4+6
=24 (cm)

2-4 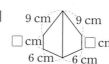 8 cm 10 cm 7 cm 7 cm 8 cm 10 cm

(둘레)=7+8+10+10+8+7
=50 (cm)

3-1 9 cm 9 cm □ cm □ cm 6 cm 6 cm

9+□+6+6+□+9=38,
30+□+□=38,
□+□=8, □=4

3-2 5 cm 6 cm □ cm □ cm 5 cm 6 cm

5+□+□+5+6+6=26,
□+□+22=26,
□+□=4, □=2

5일 점대칭도형의 성질

활동을 통하여 개념을 알아보아요.

◎ 오른쪽 점대칭도형에서 대응변의 길이와 대응각의 크기 각각 알아보기

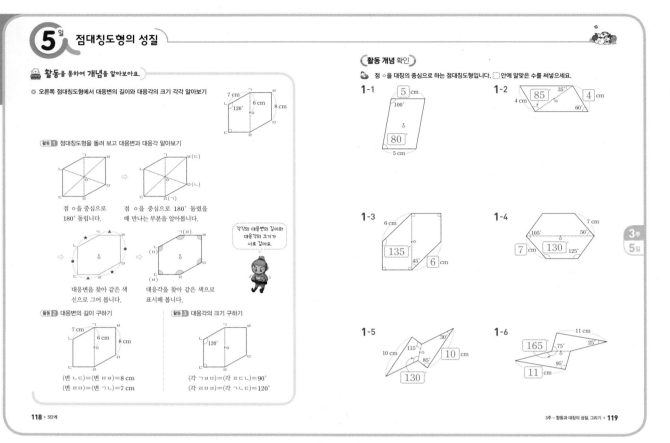

활동 1 점대칭도형을 돌려 보고 대응변과 대응각 알아보기

점 ㅇ을 중심으로 180° 돌립니다.

점 ㅇ을 중심으로 180° 돌렸을 때 만나는 부분을 알아봅니다.

각각의 대응변의 길이와 대응각의 크기가 서로 같아요.

대응변을 찾아 같은 색 선으로 그어 봅니다.

대응각을 찾아 같은 색으로 표시해 봅니다.

활동 2 대응변의 길이 구하기

(변 ㄴㄷ)=(변 ㅁㅂ)=8 cm
(변 ㄹㅁ)=(변 ㄱㄴ)=7 cm

활동 3 대응각의 크기 구하기

(각 ㄱㅂㅁ)=(각 ㄹㄷㄴ)=90°
(각 ㄹㅁㅂ)=(각 ㄱㄴㄷ)=120°

활동 개념 확인

🐾 점 ㅇ을 대칭의 중심으로 하는 점대칭도형입니다. □ 안에 알맞은 수를 써넣으세요.

1-1 5 cm, 100°, 80°, 5 cm

1-2 85, 35°, 4, 4 cm, 60°

1-3 6 cm, 135, 45°, 6

1-4 7 cm, 105°, 50°, 7 cm, 130, 125°

1-5 10 cm, 115°, 30°, 85°, 10 cm, 130

1-6 11 cm, 165, 75°, 25°, 95°, 11 cm

5일 점대칭도형의 성질

도형 집중 연습

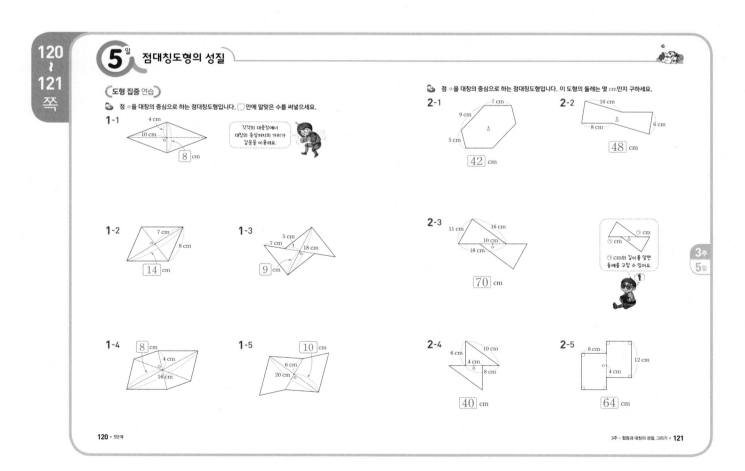

🐾 점 ㅇ을 대칭의 중심으로 하는 점대칭도형입니다. □ 안에 알맞은 수를 써넣으세요.

1-1 4 cm, 10 cm, 8 cm

각각의 대응점에서 대칭의 중심까지의 거리가 같음을 이용해요.

1-2 7 cm, 8 cm, 14 cm

1-3 5 cm, 7 cm, 18 cm, 9 cm

1-4 8 cm, 4 cm, 16 cm

1-5 10 cm, 6 cm, 20 cm

🐾 점 ㅇ을 대칭의 중심으로 하는 점대칭도형입니다. 이 도형의 둘레는 몇 cm인지 구하세요.

2-1 7 cm, 9 cm, 5 cm, 42 cm

2-2 10 cm, 8 cm, 6 cm, 48 cm

2-3 11 cm, 16 cm, 10 cm, 18 cm, 70 cm

㉠ cm의 길이를 알면 둘레를 구할 수 있어요.

2-4 6 cm, 10 cm, 4 cm, 8 cm, 40 cm

2-5 8 cm, 4 cm, 12 cm, 64 cm

풀이

1-1 □ cm＝4 cm×2＝8 cm

1-2 □ cm＝7 cm×2＝14 cm

1-3 □ cm＝18 cm÷2＝9 cm

1-4 □ cm＝16 cm÷2＝8 cm

1-5 □ cm＝20 cm÷2＝10 cm

2-1

(둘레)＝7＋9＋5＋7＋9＋5＝42 (cm)

2-2

(둘레)＝10＋6＋8＋10＋6＋8＝48 (cm)

2-3

(둘레)＝11＋8＋16＋11＋8＋16＝70 (cm)

2-4

(둘레)＝6＋4＋10＋6＋4＋10＝40 (cm)

2-5

(둘레)＝8＋12＋8＋4＋8＋12＋8＋4＝64 (cm)

3주 평가 누구나 100점 맞는 TEST

맞은 개수 /10개

01 선대칭도형이 되도록 그림을 완성하세요.

02 점 ㅇ을 대칭의 중심으로 하는 점대칭도형을 완성하세요.

03 직선 ㄱㄴ을 대칭축으로 하는 선대칭도형을 완성하고, 완성한 선대칭도형의 넓이는 몇 cm²인지 구하세요.

28 cm²

04 점 ㅇ을 대칭의 중심으로 하는 점대칭도형을 완성하고, 완성한 점대칭도형의 넓이는 몇 cm²인지 구하세요.

24 cm²

05 삼각형 ㄱㄴㄷ과 삼각형 ㄹㅁㄷ이 서로 합동일 때 ㉠의 크기는 몇 도인지 구하세요.

㉠＝110°

06 점 ㅇ을 대칭의 중심으로 하는 점대칭도형입니다. 이 도형의 둘레는 몇 cm인지 구하세요.

40 cm

07 선대칭도형의 둘레가 44 cm일 때 □ 안에 알맞은 수를 써넣으세요.

7 cm

08 삼각형 ㄱㄴㄷ과 삼각형 ㄴㄹㅁ이 서로 합동일 때 □ 안에 알맞은 수를 써넣으세요.

95

09 직선 ㄱㄴ을 대칭축으로 하는 선대칭도형입니다. □ 안에 알맞은 수를 써넣으세요.

35

10 점 ㅇ을 대칭의 중심으로 하는 점대칭도형입니다. □ 안에 알맞은 수를 써넣으세요.

105

3주 평가

특강 중학 도형 맛보기

❶ 보기 와 같이 자와 컴퍼스를 사용하여 왼쪽 삼각형과 서로 합동인 삼각형을 그려 보세요.

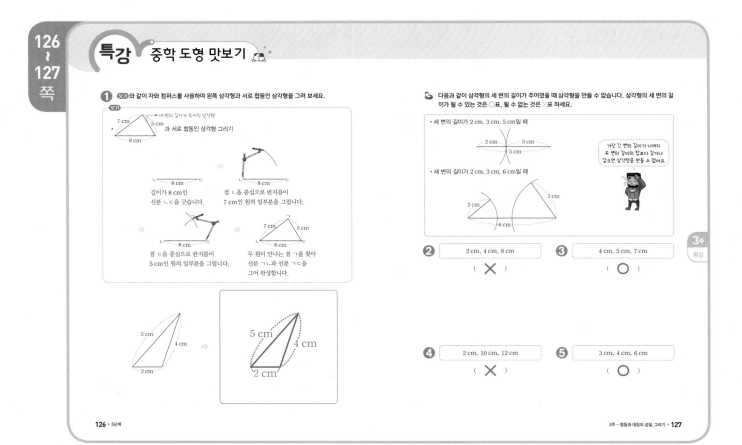

🐷 다음과 같이 삼각형의 세 변의 길이가 주어졌을 때 삼각형을 만들 수 없습니다. 삼각형의 세 변의 길이가 될 수 있는 것은 ◯표, 될 수 없는 것은 ✕표 하세요.

가장 긴 변의 길이가 나머지 두 변의 길이의 합보다 길거나 같으면 삼각형을 만들 수 없어요.

❷ 2 cm, 4 cm, 8 cm (✕)
❸ 4 cm, 5 cm, 7 cm (◯)
❹ 2 cm, 10 cm, 12 cm (✕)
❺ 3 cm, 4 cm, 6 cm (◯)

특강 중학 도형 맛보기

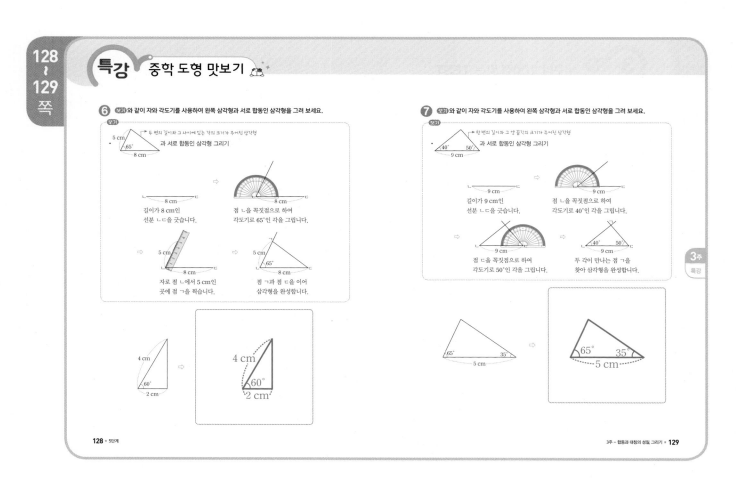

❻ 보기 와 같이 자와 각도기를 사용하여 왼쪽 삼각형과 서로 합동인 삼각형을 그려 보세요.

❼ 보기 와 같이 자와 각도기를 사용하여 왼쪽 삼각형과 서로 합동인 삼각형을 그려 보세요.

4주 | 직육면체

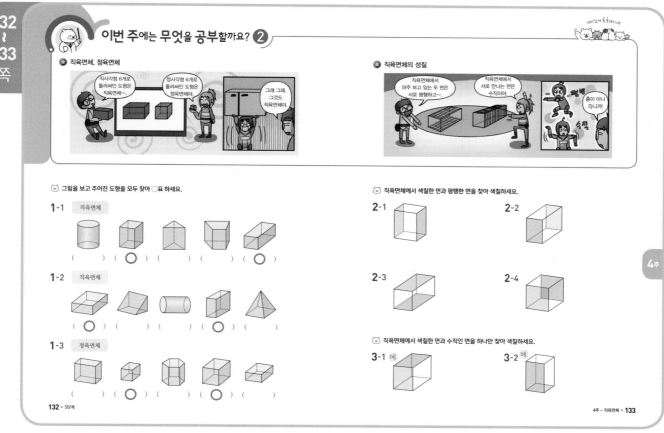

1일 직육면체의 겨냥도

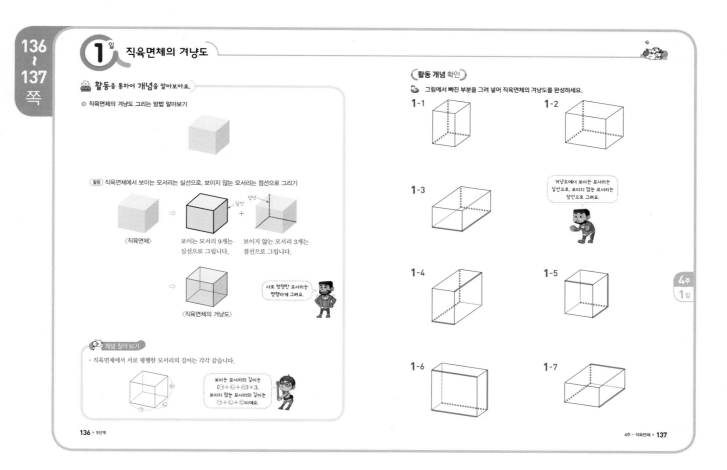

1일 직육면체의 겨냥도

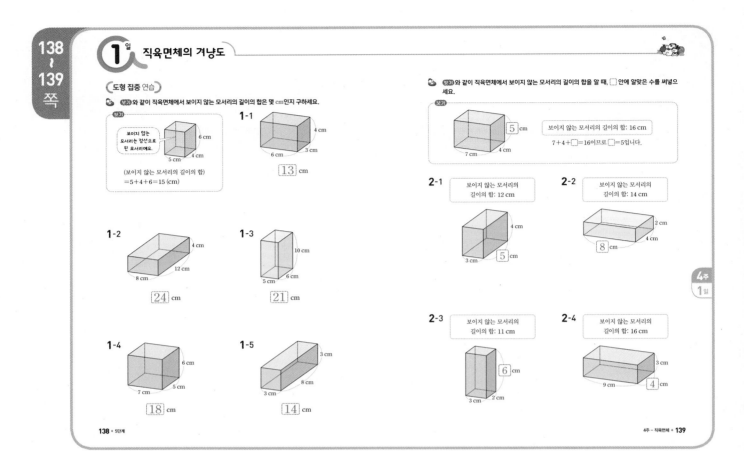

도형 집중 연습

🔲 [보기]와 같이 직육면체에서 보이지 않는 모서리의 길이의 합은 몇 cm인지 구하세요.

[보기]
보이지 않는 모서리는 점선으로 된 모서리에요.

6 cm
5 cm
4 cm

(보이지 않는 모서리의 길이의 합)
=5+4+6=15 (cm)

1-1
4 cm
6 cm
3 cm
[13] cm

1-2
4 cm
8 cm
12 cm
[24] cm

1-3
10 cm
5 cm
6 cm
[21] cm

1-4
6 cm
7 cm
5 cm
[18] cm

1-5
3 cm
8 cm
3 cm
[14] cm

🔲 [보기]와 같이 직육면체에서 보이지 않는 모서리의 길이의 합을 알 때, ☐ 안에 알맞은 수를 써넣으세요.

[보기]
5 cm
7 cm
4 cm

보이지 않는 모서리의 길이의 합: 16 cm
7+4+☐=16이므로 ☐=5입니다.

2-1
보이지 않는 모서리의 길이의 합: 12 cm
4 cm
3 cm
[5] cm

2-2
보이지 않는 모서리의 길이의 합: 14 cm
2 cm
4 cm
[8] cm

2-3
보이지 않는 모서리의 길이의 합: 11 cm
[6] cm
3 cm
2 cm

2-4
보이지 않는 모서리의 길이의 합: 16 cm
3 cm
9 cm
[4] cm

4주
1일

2일 정육면체의 전개도

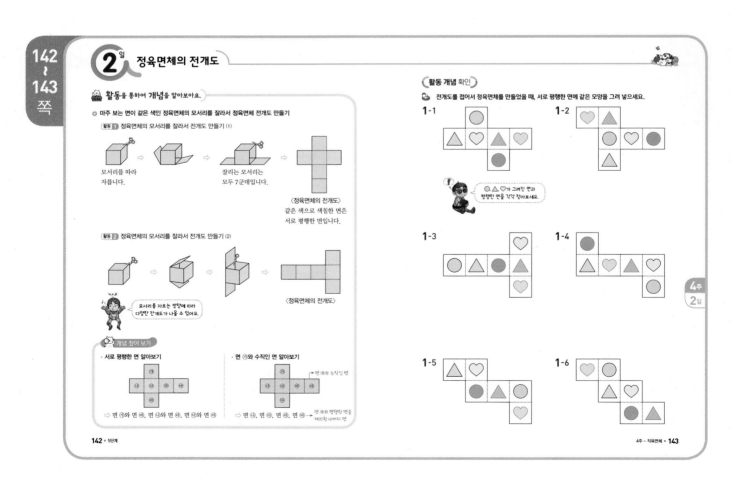

활동을 통하여 개념을 알아보아요.

● 마주 보는 면이 같은 색인 정육면체의 모서리를 잘라서 정육면체 전개도 만들기

[활동 1] 정육면체의 모서리를 잘라서 전개도 만들기 (1)

모서리를 따라 자릅니다. 잘리는 모서리는 모두 7군데입니다.

〈정육면체의 전개도〉
같은 색으로 색칠한 면은 서로 평행한 면입니다.

[활동 2] 정육면체의 모서리를 잘라서 전개도 만들기 (2)

모서리를 자르는 방향에 따라 다양한 전개도가 나올 수 있어요.

〈정육면체의 전개도〉

개념 짚어 보기

• 서로 평행한 면 알아보기

⑦
④ ⑨ ⑤ ⑥
⑧

⇒ 면 ⑦와 면 ⑧, 면 ④와 면 ⑥, 면 ⑨와 면 ⑤

• 면 ⑦와 수직인 면 알아보기

⑦
④ ⑨ ⑤ ⑥
⑧

→ 면 ⑨와 수직인 면

⇒ 면 ④, 면 ⑨, 면 ⑤, 면 ⑥
→ 면 ⑦와 평행한 면을 제외한 나머지 면

활동 개념 확인

🔲 전개도를 접어서 정육면체를 만들었을 때, 서로 평행한 면에 같은 모양을 그려 넣으세요.

1-1

1-2

○, △, ♡가 그려진 면과 평행한 면을 각각 찾아보세요.

1-3

1-4

1-5

1-6

4주
2일

→ 서로 평행한 면은 만나지 않으므로 정육면체에서 함께 보일 수 없습니다.

144 ~ 145 쪽

2일 정육면체의 전개도

(도형 집중 연습)

전개도를 접어 만든 정육면체를 찾아 ○표 하세요.

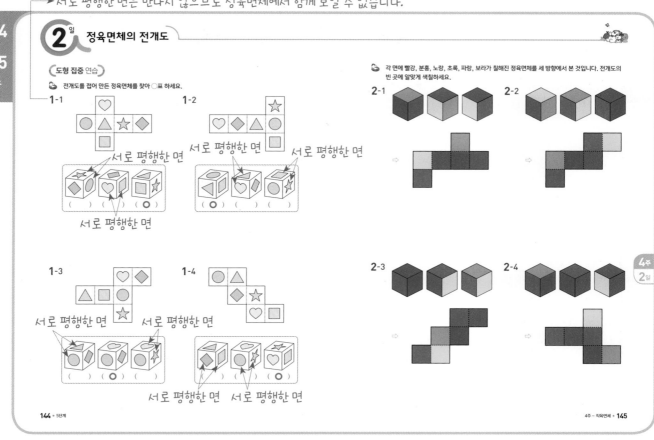

각 면에 빨강, 분홍, 노랑, 초록, 파랑, 보라가 칠해진 정육면체를 세 방향에서 본 것입니다. 전개도의 빈 곳에 알맞게 색칠하세요.

2-1 2-2 2-3 2-4

4주 2일

148 ~ 149 쪽

3일 전개도를 접었을 때 만나는 점, 선분

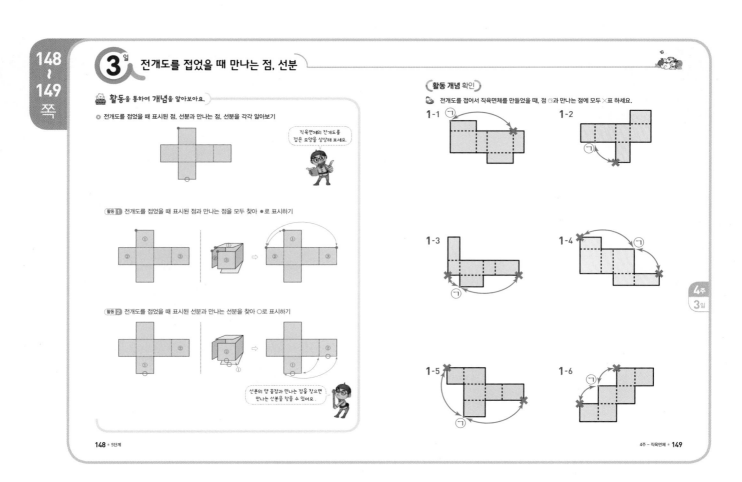

활동을 통하여 개념을 알아보아요.

전개도를 접었을 때 표시된 점, 선분과 만나는 점, 선분을 각각 알아보기

직육면체의 전개도를 접은 모양을 상상해 보세요.

활동 1 전개도를 접었을 때 표시된 점과 만나는 점을 모두 찾아 ●로 표시하기

활동 2 전개도를 접었을 때 표시된 선분과 만나는 선분을 찾아 ○로 표시하기

선분의 양 끝점과 만나는 점을 찾으면 만나는 선분을 찾을 수 있어요.

활동 개념 확인

전개도를 접어서 직육면체를 만들었을 때, 점 ㉠과 만나는 점에 모두 ✕표 하세요.

1-1 1-2 1-3 1-4 1-5 1-6

4주 3일

3^일 전개도를 접었을 때 만나는 점, 선분

도형 집중 연습

전개도를 접어서 직육면체를 만들었을 때, 표시된 선분과 만나는 선분에 ○표 하세요.

직육면체의 모서리를 잘라서 직육면체의 전개도를 만들었습니다. □ 안에 알맞은 기호를 써넣으세요.

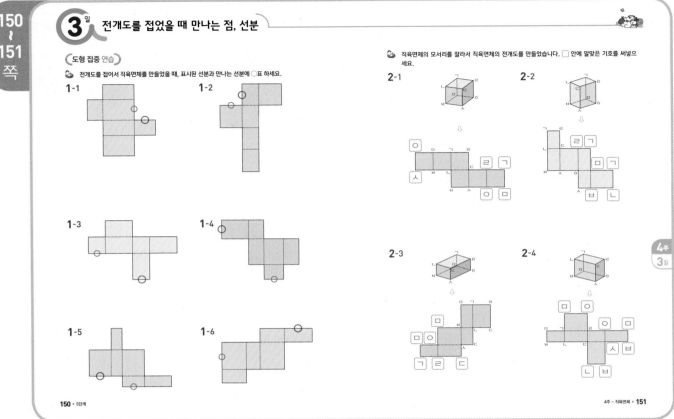

1-1 1-2
1-3 1-4
1-5 1-6

2-1 2-2
2-3 2-4

4^일 직육면체의 전개도 그리기

활동을 통하여 개념을 알아보아요.

◦ 전개도의 면을 움직여서 여러 가지 모양으로 직육면체의 전개도 그리기

활동 1 주황색 면을 잘라 화살표 방향으로 움직여서 직육면체의 전개도 그리기

주황색 면을 잘라서 화살표
방향으로 움직입니다.

움직인 면을 그려 전개도를
완성합니다.

활동 2 초록색 면을 잘라 화살표 방향으로 움직여서 직육면체의 전개도 그리기

초록색 면을 잘라서 화살표
방향으로 움직입니다.

움직인 두 면을 그려 전개도를
완성합니다.

전개도 면을 만나는
선분에 닿게 이동하면
전개도 모양은 변하지만
접었을 때 같은 직육면체가
돼요.

활동 개념 확인

색칠한 면을 화살표 방향으로 움직였습니다. 움직인 면을 그려 직육면체의 전개도를 완성하세요.

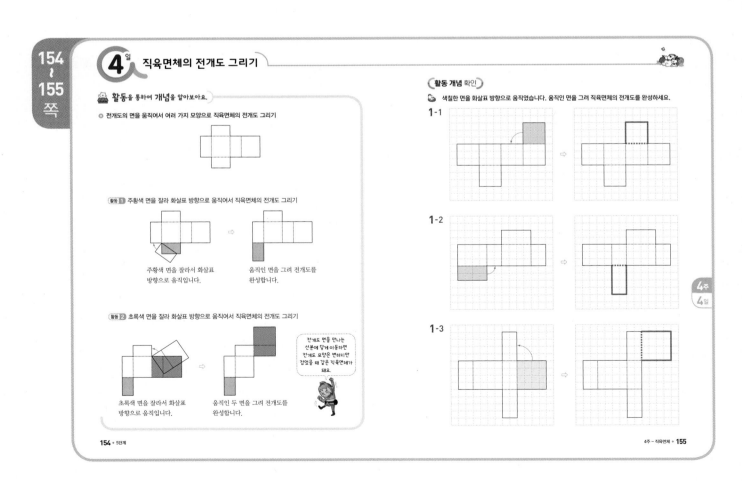

1-1
1-2
1-3

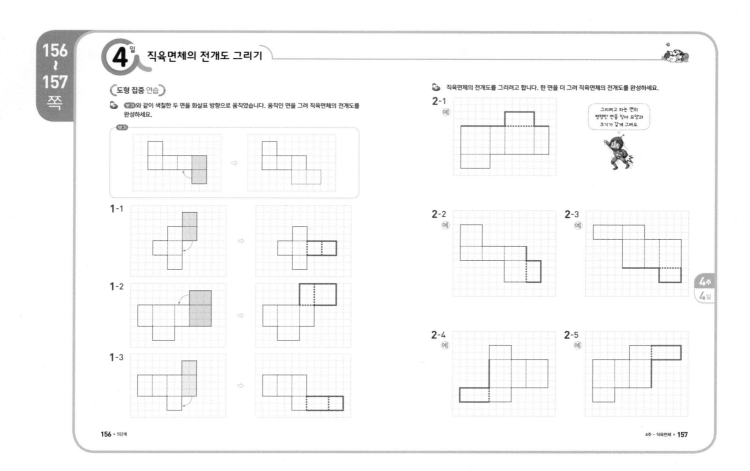

풀이

2-1

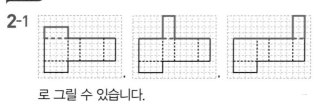

로 그릴 수 있습니다.

2-2

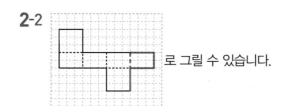

로 그릴 수 있습니다.

2-3

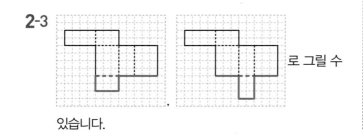

로 그릴 수 있습니다.

2-4

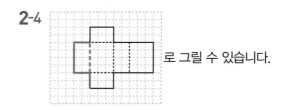

로 그릴 수 있습니다.

2-5

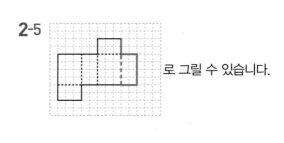

로 그릴 수 있습니다.

5일 전개도에 알맞게 그려 넣기

활동을 통하여 해결 방법을 알아보아요

◦ 색 테이프를 붙인 직육면체 모양의 상자를 보고 전개도에 색 테이프를 붙인 자리 그려 넣기

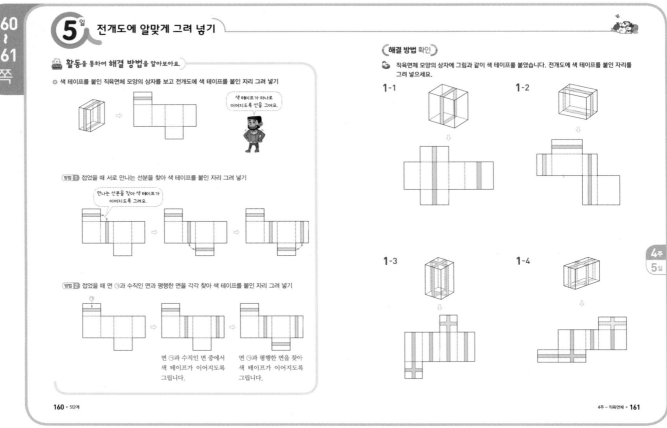

색 테이프가 하나로 이어지도록 선을 그어요.

방법 1 접었을 때 서로 만나는 선분을 찾아 색 테이프를 붙인 자리 그려 넣기

만나는 선분을 찾아 색 테이프가 이어지도록 그려요.

방법 2 접었을 때 면 ㄱ과 수직인 면과 평행한 면을 각각 찾아 색 테이프를 붙인 자리 그려 넣기

면 ㄱ과 수직인 면 중에서 색 테이프가 이어지도록 그립니다.

면 ㄱ과 평행한 면을 찾아 색 테이프가 이어지도록 그립니다.

해결 방법 확인

직육면체 모양의 상자에 그림과 같이 색 테이프를 붙였습니다. 전개도에 색 테이프를 붙인 자리를 그려 넣으세요.

1-1

1-2

1-3

1-4

5일 전개도에 알맞게 그려 넣기

도형 집중 연습

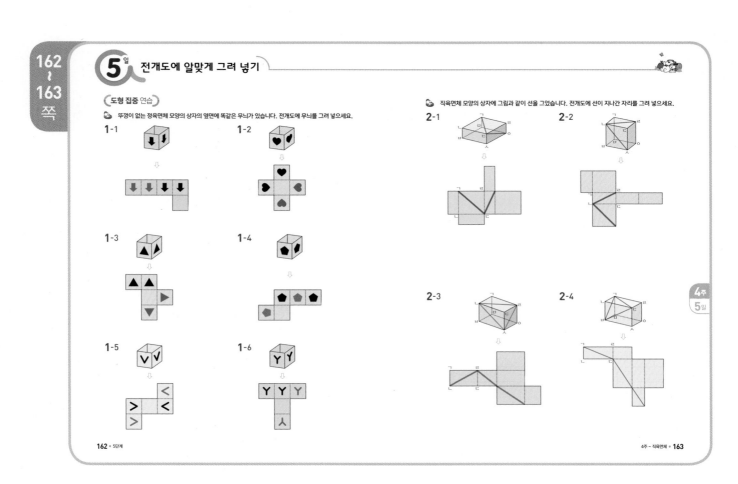

뚜껑이 없는 정육면체 모양의 상자의 옆면에 똑같은 무늬가 있습니다. 전개도에 무늬를 그려 넣으세요.

1-1

1-2

1-3

1-4

1-5

1-6

직육면체 모양의 상자에 그림과 같이 선을 그었습니다. 전개도에 선이 지나간 자리를 그려 넣으세요.

2-1

2-2

2-3

2-4

4주 평가 누구나 100점 맞는 TEST

맞은 개수 / 10개

01 그림에서 빠진 부분을 그려 넣어 직육면체의 겨냥도를 완성하세요.

02 직육면체에서 보이지 않는 모서리의 길이의 합은 몇 cm인지 구하세요.

[12] cm

03 전개도를 접어서 정육면체를 만들었을 때, 서로 평행한 면에 같은 모양을 그려 넣으세요.

04 전개도를 접어서 직육면체를 만들었을 때, 점 ㉠과 만나는 점에 모두 ×표 하세요.

05 전개도를 접어서 직육면체를 만들었을 때, 표시된 선분과 만나는 선분에 ○표 하세요.

06 뚜껑이 없는 정육면체 모양의 상자의 옆면에 똑같은 무늬가 있습니다. 전개도에 무늬를 그려 넣으세요.

07 색칠한 두 면을 화살표 방향으로 움직였습니다. 움직인 면을 그려 직육면체의 전개도를 완성하세요.

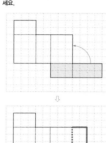

08 직육면체의 전개도를 그리려고 합니다. 한 면을 더 그려 직육면체의 전개도를 완성하세요.

(예)
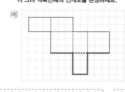

또는
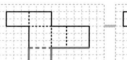

09 전개도를 접어 만든 정육면체를 찾아 ○표 하세요.

서로 평행한 면
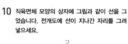
서로 평행한 면

( ) (○) ( )

10 직육면체 모양의 상자에 그림과 같이 선을 그었습니다. 전개도에 선이 지나간 자리를 그려 넣으세요.

⇩

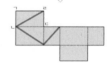

164 ● 5단계

4주 - 직육면체 ● 165

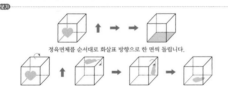

특강 창의·융합·코딩

창의 한쪽 면에 하트가 그려진 정육면체가 있습니다. 보기와 같이 정육면체를 순서대로 화살표 방향으로 한 면씩 돌렸을 때, 하트가 그려진 면을 찾아 색칠하세요.

(보기)
정육면체를 순서대로 화살표 방향으로 한 면씩 돌립니다.

①

②

③

정육면체를 순서대로 화살표 방향으로 한 면씩 돌려 보세요.

창의 한쪽 면에 꽃이 그려진 정육면체가 있습니다. 정육면체를 순서대로 화살표 방향으로 한 면씩 돌렸을 때, 꽃이 그려진 면을 찾아 색칠하세요.

④

⑤

⑥

⑦

168 ● 5단계

4주 - 직육면체 ● 169

풀이

①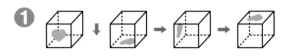

②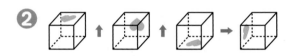

③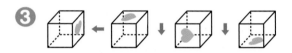

④

⑤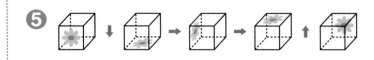

⑥

⑦

특강 창의·융합·코딩

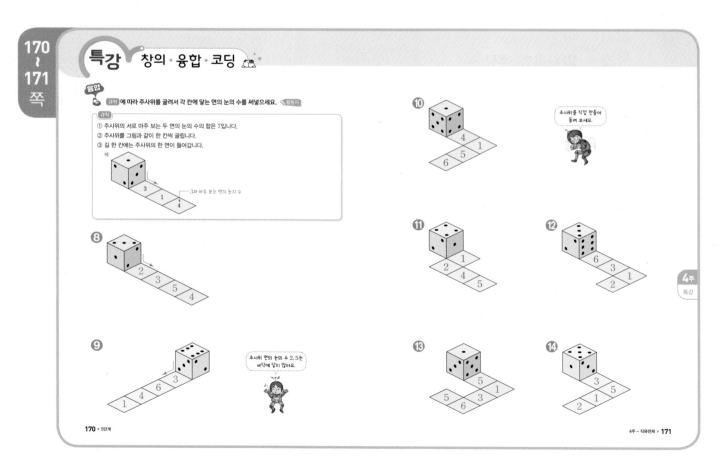

기초 학습능력 강화 교재

연산이 즐거워지는 공부습관

똑똑한 하루
빅터연산

기초부터 튼튼하게

수학의 기초는 연산!
빅터가 쉽고 재미있게 알려주는 연산 원리와
집중 연산을 통해 연산 해결 능력 강화

게임보다 재미있다

지루하고 힘든 연산은 NO!
수수께끼, 연상퀴즈, 실생활 문제로
쉽고 재미있는 연산 YES!

더! 풍부한 학습량

수·연산 문제를 충분히 담은 풍부한 학습량
교재 표지의 QR을 통해 모바일 학습 제공
교과와 연계되어 학기용 교재로도 OK

기초
학습능력 강화
프로그램

·쉽고 재미있는 연산
·교과 연계 학습
·모바일 추가 학습

똑똑한 하루

빅터
연산

3A

초등 3 수준

스마트 학습
모바일 러닝
무제한 연산
TEST 제공

·〈세 자리 수〉+〈세 자리 수〉
·〈세 자리 수〉-〈세 자리 수〉
·〈두 자리 수〉×〈한 자리 수〉
·분수와 소수 알아보기

초등 연산의 빅데이터!
기초 탄탄 연산서
예비초~초2(각 A~D)
초3~6(각 A~B)

천재교육

정답은
이안에
있어!

기초 학습능력 강화 프로그램
매일 조금씩 공부력 UP!

하루 독해   하루 어휘   하루 VOCA

하루 수학   하루 계산   하루 도형

과목	교재 구성	과목	교재 구성
하루 수학	1~6학년 1·2학기 12권	하루 사고력	1~6학년 A·B단계 12권
하루 VOCA	3~6학년 A·B단계 8권	하루 글쓰기	1~6학년 A·B단계 12권
하루 사회	3~6학년 1·2학기 8권	하루 한자	1~6학년 A·B단계 12권
하루 과학	3~6학년 1·2학기 8권	하루 어휘	예비초~6학년 1~6단계 6권
하루 도형	1~6단계 6권	하루 독해	예비초~6학년 A·B단계 12권
하루 계산	1~6학년 A·B단계 12권		

※ 각 교재별 출간 시기는 조금씩 다릅니다.

나는 그 누구보다도 실수를 많이 한다.
그리고 그 실수들 대부분에서
특허를 받아낸다.

I make more mistakes than anybody
and get a patent from those mistakes.

토마스 에디슨

실수는 '이제 난 안돼, 끝났어'라는 의미가 아니에요.
성공에 한 발자국 가까이 다가갔으니, 더 도전해보면 성공할 수 있다는
메시지랍니다. 그러니 실수를 두려워하지 마세요.